D0777033

Chemins de fer

Railways

BY
BENOÎT DUTEURTRE

ANNOTATION BY
GERALD HONIGSBLUM PHD
DIANNE G. GREEN

A NOVEL IN THE ORIGINAL FRENCH
WITH A FRENCH-ENGLISH GLOSSARY

LIN·GUAL·I·TY  CAMBRIDGE

ISBN-13: 978-0-9795037-0-2
ISBN-10: 0-9795037-0-1

Original novel first published in France by Fayard

10 9 8 7 6 5 4 3 2

Preface to the Annotated Edition

Chemins de fer, an entertaining story of a middle-aged woman confronting the inevitable nostalgia for "the way things used to be," also offers subthemes exploring a number of socioeconomic issues in modern-day France. In a constant tug-of-war, the Left bucks the trend toward privatization and the steamroller of globalization, while the Right champions the cause of free-market competition and the necessity for France to remain competitive with the United States and other nations in Europe and the Far East. Against this backdrop, the SNCF stands as the last bastion of state-run enterprise, once the norm in France.

With the French constantly on the go (for both business and pleasure), the advantages of train, car, and air travel are always being weighed. In its quest for dominance, the SNCF has become an all-purpose travel mega-agency, offering not only train service, but also airline tickets and car rentals, in France and all over the globe. This is a far cry from the days when the train was the preferred means of travel to any remote corner of the "*Hexagone*," and when the price of a ticket was strictly a function of kilometers covered and the class of service chosen.

Today, railroading is becoming almost an exercise in nostalgia, even though trains remain the main link between city and country, between the capital and the provinces, and between urban and rural lifestyles. Florence, the heroine of *Chemins de fer,* is an archetype of the successful Parisian professional, successful and stressed by the hustle of the public-relations world and soothed by her solitary, elemental existence at her country home in a small village tucked away in the Vosges. This small house, repository of happy childhood memories of summer vacations with her family, has become her refuge from the artificiality of Parisian life and her touchstone for authenticity and constancy. She has nothing but contempt for the *rurbains* who escape to brand-new or extensively renovated country houses on the weekend and play at being country folk with all the amenities of the city. Florence feels she's truly a part of her little village and is shocked to learn that she is viewed by the locals as just another city dweller encroaching on their territory. What's worse, she soon realizes that the natives have no use for her dated rural values, hate the snowy winter season so enchanting to her, and long for all the modern "improvements" she finds incongruous with the bucolic setting.

Benoît Duteurtre focuses on three emblems of modernity: a fluorescent streetlight that spoils stargazing; three garbage bins designed to sort refuse before it gets recycled; and a roundabout meant to improve automobile traffic and safety. Today, no French mayor can hope to be reelected if he/she has not managed to construct a dozen or so roundabouts in the community. Florence despairs as she watches her beloved village take on more of the accoutrements of larger towns. But her protestations make her more and more despised by the locals, with the exception of a young artist whose talent she encourages. She finally finds herself ensnared in the hypocrisy of her profession and begins to wonder if her values are those of the child she was a half-century ago, just relics of an age gone by. Throughout the story, Duteurtre evokes for the reader the charms of the Vosges, a forsaken region in the rustbelt of eastern France, where miners and steelworkers have watched their jobs disappear and where only scattered remnants of the past remain.

In this first book of the Linguality series, we invite you to enjoy this multilayered story, with its commentaries on progress and modernity. The words we have chosen to translate reflect our effort to achieve a balance between what the average reader of French is likely to know and where he/she might encounter difficulty. The choice was inevitably subjective and assumes a certain ability to intuit and guess intelligently during the free flow of reading. We felt some expressions merited a more contextual comment, either linguistic or historical in nature; these notes appear with the glossary and have been kept to a minimum.

A recorded interview with the author may be found on the CD included with this volume, and is transcribed and annotated at the end of the novel. We hope it brings additional insights into the writer's craft, the story the author is telling, and what we might expect from him in the future.

Bonne lecture!

GH

From the same author

ROMANS

Sommeil perdu, Grasset, 1985.

L'Amoureux malgré lui, Gallimard, « l'Infini », 1989.

Tout doit disparaître, Gallimard, « l'Infini », 1992 ; Folio n° 3800.

Gaieté Parisienne, Gallimard, 1996 (Folio n° 3136)

Drôle de temps, Gallimard, 1997, Prix de la nouvelle de l'Académie française ; Folio n° 3472, avant-propos de Milan Kundera.

Les Malentendus, Gallimard, 1998.

À propos des Vaches, Les Belles Lettres, 2000 ; « La petite vermillon » n° 194, postface de Jean-Pierre George.

Le Voyage en France, Gallimard, 2001, Prix Médicis ; Folio n° 3901.

Service Clientèle, Gallimard, 2003 ; Folio n° 4153.

La Rebelle, Gallimard, 2004.

La Petite Fille et la cigarette, Fayard, 2005.

ESSAIS

Requiem pour une avant-garde, nouvelle édition Belles Lettres, 2005 ; Pocket « Agora » n° 234.

L'Opérette en France, Essai illustré, Le Seuil, 1997, Prix Pelléas.

Le Grand Embouteillage, Éditions du Rocher « Colères », 2002.

Chemins de fer

Railways

BY
Benoît Duteurtre

cinquantaine The fifty-something woman
grisonnante (and) graying
bonne marque good brand
tenue de campagne country attire
contrôleur conductor
mouillé wet
flaque d'eau puddle of water
clapotis lapping (noise)
se redresse sits up straight
prend la parole begins to speak
se fige stiffens
regard gaze
seche curt
sonne rings
Bonjour! Saying *bonjour* remains a staple of social interaction. Here, it is a way for the conductor to postpone answering the question.
muette mute
genée ill at ease
À son tour In turn
tandis que whereas
préposé official
porte wears
anneau à l'oreille hoop earring in his ear
casquette cap
tatouage tattoo
dépasse *here:* peeks out of
manche sleeve
avant-bras forearm
n'empêche pas prevent, keep from

* ***All words and expressions are translated according to context***

Une femme est assise dans le train, presque seule. La ***cinquantaine grisonnante****, elle porte un pantalon de velours beige, un pull-over et des chaussures de marche – vêtements neufs et de* ***bonne marque*** *; genre* ***tenue de campagne*** *pour Parisienne. Lunettes sur le nez, elle semble absorbée par la lecture d'un roman, quand approche le* ***contrôleur****. Son pas, sur le sol, produit un bruit* ***mouillé*** *; on dirait qu'il marche dans une* ***flaque d'eau****. Alertée par le* ***clapotis****, la femme* ***se redresse*** *et* ***prend la parole*** *en souriant :*

– Excusez-moi, monsieur... Pourrais-je vous poser une question ?

Le contrôleur ***se fige****,* ***regard*** *sévère. Sa réponse* ***sèche sonne*** *comme un reproche :*

– ***Bonjour !***

La passagère reste ***muette****, un peu* ***gênée****. Aurait-elle manqué de respect ? Après un instant d'hésitation, elle répète en écho, de la même voix désagréable :*

– Bonjour !

À son tour *le contrôleur paraît gêné,* ***tandis que*** *la femme retrouve le sourire et reprend sa phrase aimablement :*

– Excusez-moi, monsieur le contrôleur… Pourrais-je vous poser une question ?

Le ***préposé*** *de la Société nationale des chemins de fer* ***porte*** *un* ***anneau à l'oreille****, sous sa* ***casquette*** *administrative ; un* ***tatouage dépasse*** *de sa* ***manche*** *à l'****avant-bras*** *gauche. On devine toute une histoire personnelle ; ce qui* ***n'empêche pas*** *ce fonctionnaire de rester très strict dans son uniforme, ni d' acquiescer avec un parfait sérieux professionnel :*

– Pourquoi pas, si je peux répondre.

– En fait, n'y voyez aucune agressivité, mais… Je n'arrive pas à

sol floor
trempé wet
déclassé downgraded, neither first, nor second class; a euphemism for minimal service. Later in the book, there will be a call for "*reclassement*" or upgrading.
bouchées clogged
compréhensif understanding
dépassé *here:* at a loss for words
roulements rotations
emballages wrappings
nettoyée cleaned
soupire sighs
il se retient de dire he restrains himself from saying
manifestement obviously
À l'époque At one time
SNCF Société nationale des chemins de fer français, French national railway/railroad authority
entretien maintenance
devoir de réserve duty to hold himself back
se taire to hold his tongue
croit bon de préciser thought it worth making clear
je m'en prends I take it out on
De toute façon In any case
je vous rappelle I remind you
il s'agit de *here:* we're talking about
Signalez Report
direction management
nettement clearly
s'éloigne walks away
piétinant clomping

comprendre pourquoi le ***sol*** *est* encore ***trempé****.*

Le contrôleur, perplexe, réfléchit un instant avant d'expliquer :

– C'est un train ***déclassé****, madame !*

– Oui, on me l'a déjà expliqué, mais enfin, tout de même… La semaine dernière déjà, les toilettes étaient ***bouchées****. Depuis, je vois que rien n'a été fait.*

Le contrôleur, ***compréhensif*** *mais* ***dépassé*** *:*

– C'est une ligne secondaire, madame. Je ne peux pas vous dire précisément ; ça dépend des ***roulements****.*

– Et vous avez vu ces ***emballages*** *vides sur les banquettes ? Autrefois, la voiture était* ***nettoyée*** *avant chaque départ, il me semble.*

Le contrôleur ***soupire ; il se retient de dire*** *quelque chose. La femme poursuit ses commentaires qui semblent des évidences ; elle a* ***manifestement*** *réfléchi à toutes ces questions :*

– ***À l'époque****, évidemment, la SNCF avait du personnel pour assurer l'****entretien****…*

Le préposé lève les yeux au ciel. Est-ce le ***devoir de réserve*** *qui l'oblige à* ***se taire*** *? Son interlocutrice* ***croit bon de préciser*** *:*

– Ce n'est pas à vous que ***je m'en prends****, monsieur, c'est au système !*

– ***De toute façon****, madame, je suis d'accord. Heureusement, ce n'est pas pareil sur toutes les lignes ;* ***je vous rappelle*** *qu'****il s'agit d'****un train déclassé !*

– Ce qui justifie cette eau par terre ? ces emballages gras sur les fauteuils ? Est-ce que nous sommes aussi des passagers déclassés ?

Le contrôleur lève les bras, impuissant :

– Vous avez raison, madame, il faut écrire.

– Comment ça, écrire ?

– ***Signalez*** *vos observations à la* ***direction****. Ils font* ***nettement*** *plus attention, en ce moment.*

– Attention à quoi ?

– À la communication !

– La communication ? Et cela remplace l'entretien ?

– Non, évidemment, mais je vous assure, madame, il faut écrire. Il faut écrire !

Le contrôleur répète cette phrase et ***s'éloigne*** *en* ***piétinant*** *dans le clapotis.*

Novembre

grisaille grayness
s'accrochaient clung to
montant du sol rising from the ground
brouillait *here:* blurred
chemins paths
champs fields
épais *here:* heavy
au fond des ravins to the bottom of the gullies/ravines
se rejoindre to meet
à la fois at the same time, simultaneously
collé glued to
carreau windowpane
flou blurred
depuis la nuit des temps from time immemorial
à tâtons feel one's way
bruine drizzle
surgiraient appeared suddenly
boue des marécages mud of the swamp
Par instants At times
rideau curtain
se déchirait *here:* parted
laisser to allow
apparaître to appear
fantomatique ghostly
brouillard fog
se resserrait closed in
songe dream
mélèze larch tree
s'estomper fading away
confus *here:* indistinct
transpercer break through
sans y parvenir without succeeding
si bien que so much so that
dont le corps whose body
se perdait got/was lost
là-haut up there
attirée attracted, drawn to
clarté brightness
s'épaississait davantage thickened more
J'appartenais I belonged
d'en dessous below
bûchette small log, split wood
cuisinière à bois wood stove
m'appuyer to lean on
englouti engulfed

Mercredi 9

Ce matin, un voile de **grisaille** enveloppait la vallée. Des nuages bas **s'accrochaient** aux arbres ; une vapeur froide **montant du sol brouillait** le contour des **chemins** et des **champs** ; et tandis que cette humidité s'élevait lentement, le ciel **épais** tombait, de plus en plus lourd, jusqu'**au fond des ravins.** La terre mouillée et l'air trempé semblaient ainsi **se rejoindre** dans une composition imprécise où tout était **à la fois** solide, liquide et gazeux.

L'œil **collé** au **carreau**, je m'abandonnais à ce paysage **flou** ; j'imaginais un monde sans lumière et sans perspectives ; une terre incertaine où, **depuis la nuit des temps**, on marcherait **à tâtons** sous la **bruine**, où des plantes fabuleuses, des animaux inconnus **surgiraient** au détour des chemins, dans la **boue des marécages**... **Par instants**, le **rideau se déchirait** pour **laisser apparaître** la façade **fantomatique** du presbytère, à l'entrée du village. Puis le **brouillard se resserrait** et tout disparaissait à nouveau dans mon **songe** plein de légendes. Même le grand **mélèze** planté devant ma fenêtre finissait par **s'estomper** ; je ne distinguais plus que la base du tronc et quelques branchages **confus.** Au sommet, une lumière plus chaude essayait de **transpercer** le nuage **sans y parvenir** ; **si bien que** cet arbre ressemblait au pied d'un géant **dont le corps se perdait là-haut**, près du soleil. J'étais **attirée** par cette **clarté** mais le voile **s'épaississait davantage. J'appartenais** à la terre **d'en dessous**, au monde gris où les questions demeurent sans réponse.

Après avoir jeté une **bûchette** dans la **cuisinière à bois**, je retourne **m'appuyer** à la fenêtre et regarder le paysage **englouti**, cette campagne automnale favorable aux enchantements. Il suffit de suivre les variations du ciel, de sentir la force du vent et de la

borné restricted
délimité demarcated
quadrillée grid-covered
cartographiée mapped
répertoriées itemized
me laisser porter to let myself be carried away
craquements crackings
farfadets elves
fougères ferns
J'ai même fini par préférer I even ended up preferring
dégradé layered
circulation traffic
rurbains neologism combining *rural* and *urbain*, a reference to city folks in their country homes "pretending"to espouse the virtues of rural life
énormes 4 x 4 enormous SUVs
banlieuisée suburbanized
pavillon de campagne small country house
phares headlights
étouffés smothered
bénis blessed
gestion management
envahit invades, overruns
coulée de boue flow of mud
rendant rendering
départementale a local road, serviced by the *département*, as opposed to a *nationale,* a three- or four-lane freeway
impraticable impassable
engins de déblaiement snow plows
débordés overwhelmed by
intempéries bad weather
maîtrise mastery
Pour l'heure for the time being
s'estompe lifts
bitumée asphalt-covered
bombée bumpy
se dressent stand (up)
jetées de travers knocked askew
on dirait *here:* they look like
pochtrons à la dérive weaving drunkards
hameau hamlet
mousse moss
englouti *here:* vanished
morts pour la France phrase usually meaning "died in the service of their country"
vieilles filles old maids

pluie, capables d'abolir instantanément l'organisation qui a tout recouvert, tout **borné**, tout **délimité**. L'imagination des anciens paysans était riche d'ignorance. La terre est désormais **quadrillée**, **cartographiée**, ses espèces méthodiquement **répertoriées** ; rien ou presque, à la surface du globe, n'échappe à cette connaissance rationnelle, mais j'aime encore **me laisser porter** par le rêve d'un matin de brouillard, les suggestions de la forêt humide, les **craquements** d'un sous-bois où des **farfadets** semblent s'agiter dans les **fougères**. **J'ai même fini par préférer** les jours de mauvais temps ; ces jours de grisaille où le paysage **dégradé** de la campagne redevient imprécis et mystérieux.

En dessous de la maison, sur la route déserte, la **circulation** s'est interrompue. Les « **rurbains** » partis au travail reviendront tous ensemble vers six heures du soir, maris, femmes, enfants, dans les **énormes 4 x 4** qui les conduisent chaque jour de la ville **banlieuisée** où ils gagnent leur vie au **pavillon de campagne** où ils habitent... Si le brouillard persiste, les **phares** de leurs voitures transperceront difficilement le voile et ils passeront comme des fantômes. J'aime ces jours sombres où les mouvements paraissent emprisonnés, les sons **étouffés**. J'aime surtout ces jours **bénis** où une « erreur système » met en péril toute la **gestion** du monde ; ces jours d'inondation où la rivière **envahit** la route avec sa **coulée de boue** ; ces jours où la neige commence à tomber, **rendant** la **départementale impraticable** avant le passage des **engins de déblaiement**, **débordés** par les **intempéries**. J'aime voir l'automobiliste protester et se plaindre d'une **maîtrise** encore imparfaite, d'une nature encore un peu plus forte que lui.

Pour l'heure, il n'y a personne. Quand le brouillard **s'estompe** un instant, l'allée **bitumée** qui va du presbytère au cimetière recouvre sa ligne imparfaite et **bombée** de chemin rural. Quelques vieilles croix **se dressent** là-bas, irrégulièrement **jetées de travers** ; **on dirait** les silhouettes des **pochtrons à la dérive** qui, autrefois, après la fermeture du dernier bistrot, traversaient le **hameau** à la nuit tombante. Ils reposent aujourd'hui sous ces tombes couvertes de **mousse**, parmi les cadavres d'un monde **englouti** : « Augustine », « Albert », « Honorine », « Fernand », prénoms de **morts pour la France**, de **vieilles filles** et

angelots little angels
bas âge tender age
cageots crates
pique pike
soulève raise
plaque door to the opening of a wood-burning stove
fonte cast iron
siffler hiss
remise shed
outils tools
scie saws
tronçonneuse électrique electric chain saw
haches axes
tailles sizes
coins wedges
merlins cleavers
fendre to split
hêtre beech tree
combinaisons ski bibs
bottes boots
ciré oilskin
abritée sheltered
auvent canopy
arrondi roundness
versants boisés wooded slopes
grimpent climb
Telle une paysanne Like a country woman
ruissellement streaming
jeu de cloches liquides sound of liquid bells
au fil des saisons with the passing of the seasons
bille block
dresse draw up
j'abats I bring down
d'un coup sec with one sharp blow
éclater to break up
Chargée loaded
regagne go back to
à travers le pré across the meadow
ermite hermit
lubie whim
mondaine *here:* socialite
Comment ne pas le reconnaître How can I not admit it
en partie au moins at least in part

d'**angelots** disparus en **bas âge**. Aujourd'hui, c'est jour de brouillard ; et les histoires du brouillard me font oublier, pour un instant, l'organisation nouvelle de l'humanité… Je suis pourtant moi-même une femelle bien organisée : j'ai fait mes cinq **cageots** de bois que j'ai rapportés dans la maison. À l'aide d'une **pique**, je **soulève** la **plaque** de **fonte** pour jeter une autre bûchette dans le feu de la cuisinière ; puis je retourne vers la fenêtre en écoutant le métal **siffler**.

Jeudi 10

L'un de mes principaux plaisirs, ici, consiste à me rendre dehors, sous la **remise** où je stocke les bûches et une collection d'**outils** appropriés : **scies**, **tronçonneuse électrique**, **haches** de différentes **tailles**, **coins** et **merlins** pour **fendre** les quartiers de **hêtre**. Je suis équipée des meilleurs accessoires – comme ces Parisiennes qui vont au ski dans d'élégantes **combinaisons** ou partent en **bottes** et **ciré** jaune pour le week-end à Deauville. Moi, je travaille seule face à la montagne, **abritée** sous l'**auvent**. Tout en coupant mon bois, je contemple le grand **arrondi** de la vallée et ses **versants boisés** qui **grimpent** vers les prairies d'altitude. **Telle une paysanne** contemplative, je transforme les demi-bûches en quartiers, puis je m'interromps pour écouter le **ruissellement** du torrent. Ce **jeu de cloches liquides** me ravit et me stimule. Il varie en intensité **au fil des saisons**. Je pose une nouvelle bûche sur la **bille**, je **dresse** le merlin au-dessus de ma tête, puis **j'abats** le fer **d'un coup sec**. Mon geste assez peu féminin fait **éclater** le bois en moitiés que je repose pour les fendre en morceaux plus petits. Je range ensuite les bûchettes dans des cageots, en quantité suffisante pour me tenir au chaud ce soir et demain. **Chargée** de combustible, je **regagne** la maison **à travers le pré**, en jetant un regard heureux vers le ciel et les forêts.

Cette vie d'**ermite**, cette ferveur de travailleuse du bois fait beaucoup rire à Paris où je passe pour la plus urbaine des professionnelles en relations publiques. Autour de moi, on regarde ces séjours à la campagne comme une sophistication bizarre, une **lubie** de **mondaine**. **Comment ne pas le reconnaître, en partie au moins** ?

fourneau à bois wood stove
appoint back up
chauffage électrique electric heat
qu'ils ne le croient than they believe
campagnarde country girl
guère hardly
dotés de equipped with
rechange spare
antennes paraboliques bowl-shaped antennae
réseaux à haut débit high-speed networks
inquiet *here:* uneasy
jamais je ne me sens never do I feel
brume mist
débitant chopping up trees into logs; the author makes a pun as he talks of *haut débit* a few lines earlier, meaning high-speed Internet
quoique la vie ait fait de moi although life has turned me into
nageuse swimmer
bassin pool
surprend surprises
au fil de sa vie with the passing of one's life
Quant à moi As for me
j'ignore I don't know
faculté d'entregent a way with people
goût liking, enjoyment
portée à la séduction bordering on seduction
me rendre agréable be pleasant
faire apprécier make (people) enjoy
constate state
s'accompagne is accompanied (by)
je m'intéresse modérément I am (only) moderately interested
me portent lead me
toujours davantage vers always more toward
Si j'abuse de mes facilités *in effect:* If I overdo it
finit même par m'envahir begins to come over me
tandis que grandit while there grows
embrumée misty
à merveille wonderfully
virevolter *here:* flit about; *literally:* twirl around
plaire be a success
s'enfuir to run away
n'a fait qu'augmenter had only increased

Ce **fourneau à bois** autour duquel ma vie s'organise ici n'est qu'un **appoint** au **chauffage électrique** qui assure le confort de la maison ! Mes amis peuvent donc rire, mais je suis plus sincère **qu'ils ne le croient** : rien ne me plaît autant que de m'asseoir près de cette antique machine à chaleur, puis d'ouvrir un livre comme une **campagnarde** attendant la fin de l'hiver (en fait, les campagnardes ne lisaient **guère**, mais j'aime l'imaginer). De leur côté, les néopaysans des environs – abondamment **dotés de** voitures de **rechange**, d'**antennes paraboliques** et de **réseaux à haut débit** – se demandent avec un amusement **inquiet** comment je supporte cette solitude qu'ils cherchent à combattre. Là encore, je suis sincère : **jamais je ne me sens** aussi bien que seule, ici, à regarder la **brume** en **débitant** mes bûches – **quoique la vie ait fait de moi** une assez bonne **nageuse** dans le **bassin** de la vie mondaine.

Le destin nous **surprend** sans aucune logique. On peut naître riche et détester l'argent ; souffrir d'un corps faible mais n'aimer que l'aventure et les grands espaces ; découvrir **au fil de sa vie** d'étranges obsessions qu'on n'a pas choisies… **Quant à moi**, pour des raisons que **j'ignore**, j'ai développé très jeune une **faculté d'entregent**, un sourire sympathique, un **goût** d'entrer en relation avec les autres ; **portée à la séduction**, j'aime **me rendre agréable** et **faire apprécier** ma compagnie. J'ignore d'où cet instinct m'est venu ; je **constate** seulement que cette activité sociale **s'accompagne** souvent d'un réel plaisir, d'une bonne humeur communicative… Sauf que, pour des raisons plus obscures encore, **je m'intéresse modérément** à cette partie de ma vie. Mes désirs **me portent toujours davantage vers** la solitude et les marches en pleine nature. **Si j'abuse de mes facilités** dans la vie publique, une espèce de nervosité **finit même par m'envahir**, **tandis que grandit** en moi l'obsession de partir, de retrouver mon fourneau dans la vallée **embrumée**. Mon être social fonctionne **à merveille** en apparence ; je peux **virevolter**, **plaire**, sourire autant qu'on veut ; et il me faut encore, mécaniquement, continuer à séduire mon interlocuteur, quand mon être secret pense uniquement à l'urgence de **s'enfuir**.

Ma vie a donc fini par s'organiser ainsi : de Paris à la campagne et de la campagne à Paris. Ces dernières années, la part de campagne **n'a fait qu'augmenter** et mes plaisirs parisiens sont **de**

de plus en plus vite consommés more and more quickly consumed
aux affaires to business
poindre *here:* coming on
angoisse anguish
liée tied to
poids weight
contrainte *here:* compulsion
gagner ma vie earn my living
dès que as soon as
me reprend *here:* comes back to me
décharges *here*: bursts
Je m'agite I bustle about
sorties au spectacle outings/evenings at shows
discussions d'affaires business discussions
papillonne flit about
mettent en jeu bring into play
me grise goes to my head
mal de tête headache
me gagne *here:* overcomes me
hâte eagerness
affaire pressante urgent business
loquace talkative
caressante pleasant
faire ce qu'il faut do whatever it takes
je n'ai jamais pu m'empêcher de I could never help
Or However
sens meaning
maladive *here:* pathological
conduisant à leading to
rangées de bardeaux rows of shingles
palissades fences
planches boards
noircies blackened
protègent protect
rafale gust (of wind)
rutilantes gleaming
garées parked
cassées de l'intérieur gutted inside
par le passé in the past
ravive revives
les stressés, les agités, les pressés the stressed ones, the busy ones, the ones in a hurry
lointaine distant
nains dwarfs

plus en plus vite consommés. Lorsque je dois retourner **aux affaires**, je sens **poindre** cette **angoisse liée** à l'obligation de recommencer le jeu, ce **poids** de la **contrainte** nécessaire pour **gagner ma vie**. Mais **dès que** j'arrive à Paris, le jeu **me reprend** sans effort, avec ses petites batailles, ses **décharges** d'adrénaline, sa représentation et ses échanges d'intérêts. **Je m'agite**, je téléphone, je prends des rendez-vous, j'accepte des déjeuners, des **sorties au spectacle**, des **discussions d'affaires**, des apéritifs dans les grands hôtels, des cocktails (j'adore les cocktails où l'on **papillonne**). Tout cela m'amuse ; surtout les rencontres « importantes » qui **mettent en jeu** suffisamment d'argent, de célébrité, de pouvoir. Tout cela **me grise**, jusqu'au moment où le **mal de tête me gagne** comme une brusque fatigue, un ennui profond, une **hâte** de m'éloigner, d'oublier ces gens, de retourner au village où personne ne me téléphonera. Mais si quelqu'un téléphone pour une **affaire pressante**, il me retrouvera près du fourneau à bois toujours **loquace**, affable, **caressante**, désireuse de **faire ce qu'il faut** pour lui être agréable.

Faire ce qu'il faut. Cela vient-il de mon éducation ? Depuis cinquante ans, **je n'ai jamais pu m'empêcher de** faire ce qu'il fallait, de me lever avec une bonne énergie, d'agir du matin au soir. **Or**, toutes ces activités n'auraient pour moi aucun **sens** (sauf celui d'une obstination **maladive**, **conduisant à** la mort ou à la folie), si elles ne me ramenaient dans cette vallée, face aux vieilles fermes et à leurs **rangées de bardeaux** – ces **palissades** de **planches noircies** qui **protègent** les murs de la neige et du vent.

Une **rafale** déchire à nouveau le brouillard et j'aperçois trois petites voitures modernes, **rutilantes**, **garées** près du cimetière : une rouge, une grise, une bleue. Je me rappelle que je ne suis pas dans un songe, mais dans une campagne-dortoir.

Je me rappelle que ces vieilles fermes poétiques sont **cassées de l'intérieur**, rénovées, modernisées, touristifiées. Beaucoup plus confortables que **par le passé**, elles sont moins favorables aux contes et aux légendes. Aujourd'hui, heureusement, le miracle du mauvais temps **ravive** sous mes yeux la campagne moyenâgeuse ; il me rappelle que nous sortons tous – nous, **les stressés**, **les agités**, **les pressés** – d'une histoire plus **lointaine**, d'une histoire de **nains** et

éperdues *here:* headlong
cloches bells
battent la volée clang vigorously, a play on *faire battre les volets:* make the shutters bang
conciliabules au coin des cheminées fireside chats
enfance childhood
étapes stopping place
somnolaient dozed
curés parish priests
tricoteuses women knitting
immuable unchanged, immutable
témoin witness
mon propre vieillissement my own aging
Malgré In spite of
banquettes seats
râpées time-worn
comptais counted
gradés ranked
généraux generals
moleskine imitation leather
évoquaient called to mind
boucles loops
manette lever
ne marchais jamais never worked
horaires schedules
je me souviens de I remember
Longtemps For a long time
je n'ai rien connu d'autre que I knew no other but
correspondance (train) connection
l'on délaissait one abandoned/left behind
Entassés Crammed together
ouvrière working-class
rugueuse rough
bleus overalls
costumes démodés outdated suits
laissés pour compte rejects
mutation changeover
bondée packed

de géants, de courses **éperdues** dans la neige, d'une histoire de **cloches** d'églises qui **battent la volée**, de peur du loup et de **conciliabules au coin des cheminées.**

Samedi 12

De Paris au village et du village à Paris... Le même voyage recommence depuis mon **enfance**, quand je venais en vacances dans cette région, par le même train et les mêmes **étapes**, dans les mêmes compartiments où **somnolaient** des **curés**, des **tricoteuses** et des militaires en uniforme.

Longtemps ce décor est resté **immuable**, comme un **témoin** de **mon propre vieillissement**. J'avais cinq ans, dix ans, quinze ans ; autour de moi rien ne changeait. **Malgré** quelques modifications minuscules, ce train représentait l'éternelle image de la France où des enfants, comme moi, devaient user les **banquettes** déjà **râpées** par leurs parents. Dans les mêmes voitures passaient les mêmes contrôleurs à casquette (je **comptais** sur leur front le nombre d'étoiles, me demandant pourquoi ils étaient aussi **gradés** que des **généraux**). Au-dessus des sièges amples en **moleskine**, des photos en noir et blanc **évoquaient** une leçon de géographie : le pont du Gard, un château des environs de Bordeaux, les **boucles** de la Seine aux Andelys... Une grosse **manette** qui **ne marchait jamais** permettait de régler la température. Même les **horaires** semblaient fixés pour l'éternité : **je me souviens de** l'express de 13 h 18 à destination de Munich et de Vienne. **Longtemps je n'ai rien connu d'autre que** cet express de 13 h 18 gare de l'Est, suivi par la **correspondance** de 16 h 40 à Nancy, où **l'on délaissait** le style international et rapide des « grandes lignes » pour entrer vraiment dans la province.

En changeant de train, nous changions aussi de monde. **Entassés** dans l'autorail de 16 h 40, les voyageurs sortaient d'une autre réalité : la France **ouvrière**, ses travailleurs d'usines à la peau **rugueuse**, leur dignité silencieuse sous les **bleus** de travail et les **costumes démodés** – comme ceux que portent, aujourd'hui encore, certains habitants de l'ex-Europe communiste, **laissés pour compte** de la **mutation** capitaliste. La voiture collective était **bondée** ; les

se serraient squeezed in
fumée smoke
vert sombre dark green
descendaient got off
se mettait began
onduler undulate
micheline old rail car
à peine hardly
freinait braked
à l'arrêt suivant at the next stop
montaient boarded, got on
coiffés de foulards et de casquettes with scarves and caps on their heads
arpentait son quai paced up and down his (train) platform
en propriétaire satisfait like a satisfied proprietor
Penchant la tête au-dehors Leaning my head out (of the window)
feu de bois forest fire, wood fire
filer dash off
défilés de sapins mountain passes lined with firs
col lumineux luminous peak
encadré surrounded
bouleversements upheavals
se préparent *here:* brew
éclater exploding
s'est brisé was shattered
signes avant-coureurs early signs
service des bagages baggage-handling service
cerclée de fer secured with metal bands
délabrement disrepair
entrepôts en bois wooden warehouses
voies tracks
consignes lockers
vague d'attentats wave of attacks
retombée *here:* fell off, stopped
remis…en activité put (them) back in service
entretenir to keep up
encombrantes cumbersome
du même coup at the same time
aller faire un tour en ville to walk around the town
commodités amenities
allure appearance
précaire precarious
inlassablement unflaggingly
minutieux minutely detailed
frappé d'archaïsme terribly out of date

passagers **se serraient** sans rien dire, patients et résignés dans la **fumée** des cigarettes. Le train, **vert sombre** comme un convoi militaire, traversait des zones industrielles. La plupart des passagers **descendaient** avant la montagne ; puis le terrain **se mettait** à **onduler** d'une station à l'autre. La **micheline** avait **à peine** le temps d'accélérer que, déjà, elle **freinait à l'arrêt suivant**, où **montaient** des couples de paysans, **coiffés de foulards et de casquettes**. À chaque étape, un chef de gare criait le nom de la localité ; il **arpentait son quai en propriétaire satisfait**, puis donnait le signal du départ. **Penchant la tête au-dehors**, je reconnaissais cette odeur de résine et de **feu de bois** qui signalait l'approche des forêts. À la ville d'arrivée, la voiture de mon oncle attendait pour **filer**, toujours plus haut, sur des routes sinueuses, dans les **défilés de sapins**, jusqu'au **col lumineux encadré** de grandes prairies.

Les **bouleversements se préparent** longuement avant d'**éclater**. Dans les dernières années du XXe siècle, l'ordre immuable des chemins de fer **s'est brisé** rapidement, comme si les trains que j'avais connus devaient disparaître pour toujours. Depuis vingt ans déjà, d'un voyage à l'autre, se multipliaient les **signes avant-coureurs**. Tout avait commencé discrètement par la disparition, à la gare d'arrivée, du **service des bagages** où nous venions, enfants, retirer la valise **cerclée de fer** envoyée pour les vacances. D'autres symptômes avaient suivi : le **délabrement** progressif des **entrepôts en bois** plantés le long des **voies**, la fermeture des **consignes** automatiques pour raisons de sécurité antiterroriste… Curieusement, quand la **vague d'attentats** était **retombée**, on n'avait pas **remis** les consignes **en activité**; il n'était simplement plus question d'**entretenir** ces machines **encombrantes** et peu lucratives. Impossible, **du même coup**, d'**aller faire un tour en ville** en attendant le départ.

Mesure après mesure, la gare avait ainsi perdu la plus grande partie de son personnel et de ses **commodités**. Une succession de réformes discrètes lui avait conféré cette **allure précaire**, loin de l'administration solide de mon enfance. Dans un monde envahi par l'automobile, sur un territoire où les autoroutes se déployaient **inlassablement**, le **minutieux** quadrillage des chemins de fer convoyant humains et marchandises semblait soudain **frappé d'archaïsme**. Autour de notre

hangars sheds
s'effondrer to collapse
dépassée outmoded
se réduisait was reduced to
accueillir welcoming
vieillards old people
lycéens high-school students
ne s'était pas fait attendre *here:* didn't take long
attirer to attract
poivrots boozers
mobilier de gargote greasy-spoon furnishings/furniture
de passage passing through
Wallonie French-speaking part of Belgium, in the south and southeast of the country
belle allure beautiful style
impérative réduction des coûts mandatory reduction in costs
personnel réduit au minimum staff reduced to the minimum
abat *here:* (are forced to) deal with
charge de travail workload
prenant les commandes taking the orders
mal réchauffée poorly reheated
micro-ondes microwaves
assurer *here:* take care of
comptabilité accounting
terminaux d'ordinateurs computer terminals
tarification pricing
émission des billets issuance of tickets
se rappellent remember
bornes automatiques terminals
informatisées computerized
censées meant to
embarras confusion
nous avons entrepris we undertook
tapoter tapping
clavier virtuel virtual keyboard
affronter confronting
devant aboutir designed to end with
débouchant arriving
échec failure
nous avons tiré we have drawn
enseignements *here:* lessons
puisque since
jusqu'alors until then

petite station de montagne, les **hangars** achevaient de **s'effondrer** comme autant de résidus d'une organisation **dépassée**. La fonction de cette gare **se réduisait** à **accueillir** les **vieillards** et **lycéens** qui ne possédaient pas encore de voitures – et quelques bataillons de touristes pendant les vacances. La fermeture des cafés du quartier **ne s'était pas fait attendre** ; mais comme il faut, dans chaque ville, un buffet de gare pour **attirer** les **poivrots**, celui-ci avait finalement rouvert ses portes dans un style rénové, avec décor de plantes et meubles en plastique substitués au lourd **mobilier de gargote** provinciale.

L'hiver dernier, **de passage** en **Wallonie**, j'admirais la **belle allure** de certains buffets qui ressemblent encore à des brasseries avec leur zinc, leurs fumées, leurs machines à bière et leur odeur de saucisses. C'est le charme des vieux pays industriels où les chemins de fer conservent leur place au cœur de la vie sociale. En France, les buffets se sont d'abord transformés en self-services ; puis la mode est passée et les décors ont encore changé pour satisfaire l'**impérative réduction des coûts**. Dans ces tristes cafétérias, un **personnel réduit au minimum abat** désormais une **charge de travail** considérable – le même employé **prenant les commandes**, servant une nourriture chère **mal réchauffée** au **micro-ondes**, avant d'**assurer** lui-même la **comptabilité** sur des **terminaux d'ordinateurs**.

Le dernier signe avant-coureur de la grande mutation fut toutefois la brutale réforme du système de **tarification** et d'**émission des billets**. Beaucoup d'usagers **se rappellent**, comme moi, la mise en place de **bornes automatiques** entièrement **informatisées**, **censées** simplifier la vie des voyageurs. La plupart se souviennent de leur **embarras** face à ces robots orange portant le nom prétentieux de « Socrate ». Tous, **nous avons entrepris** le fastidieux exercice consistant à **tapoter** sur le **clavier virtuel**, puis à **affronter** une interminable série de questions **devant aboutir** à l'émission du billet mais **débouchant**, plus souvent, sur l'**échec** de l'opération et l'obligation de recommencer à zéro. De cette révolution technique **nous avons tiré** quelques **enseignements** :

1. La quasi-impossibilité d'obtenir un simple billet de train, si l'on ne connaît pas précisément l'heure du départ ni celle du retour. Impératif nouveau **puisque**, **jusqu'alors**, le billet était un coupon

facile à reporter easy to transfer
d'un jour sur l'autre from one day to another
files d'attente waiting lines
dressées stretching
guichets automatiques automatic ticket machines
celles qui patientent those who wait
préposés officials
recourir call on, turn to
buté stubborn, obstinate
qu'il n'en fallait autrefois than it took/required in the past
Au fil des voyages Trip after trip
obsédant obsessive
Comme Just as
se précisaient *here:* were posed
à chaque trajet on each journey
semblait fonctionner seemed to function
apparaissent-ils appear/seem (to be)
discours speech
responsables publics public officials
contrainte constraint
étouffante stifling
exigeant requiring
enquête survey
menée conducted
lecture reading
maintes conversations many conversations
ne répondait pas seulement was not only a response
exigence requirement
suppressions d'emplois elimination of jobs
entraînerait would bring about
désormais from now on
charges de personnel payroll costs
selon according to
rentabilité profitability; *rentable* = profitable
concurrence competition
déboucher to lead to, result in
aurait pu se glorifier ought to be able to glory in
effectifs nombreux *in effect:* a large workforce
bien traité well treated
nul n'avait à s'en plaindre no one had any reason to complain
croissance ininterrompue uninterrupted growth
dépense expenditure
aisée easy
s'avérait proved to be
exsangue broke

interchangeable, facile à reporter d'un jour sur l'autre.

2. L'extrême lenteur de la machine : malgré les améliorations progressives, il est facile de comparer, aujourd'hui encore, les files d'attente dressées devant les guichets automatiques à celles qui patientent aux guichets humains, toujours sensiblement plus rapides. Malgré leur savoir-faire, les préposés de la SNCF doivent toutefois recourir au même système informatique extraordinairement buté, le fameux Socrate exigeant deux à trois fois plus de temps qu'il n'en fallait autrefois pour émettre un simple ticket de carton.

Au fil des voyages, mon intérêt pour le fonctionnement de la SNCF a pris un caractère obsédant. Comme mes séjours à la campagne devenaient plus fréquents, les mêmes questions se précisaient à chaque trajet : au nom de quelle décision supérieure un service qui, trente ans plus tôt, semblait fonctionner impeccablement devait-il être ainsi bouleversé ? Pourquoi les chemins de fer, si prospères dans l'Europe d'après-guerre, apparaissent-ils maintenant – dans le discours des responsables publics – comme une contrainte étouffante pour les États, une organisation dépassée, ruineuse, exigeant des mutations profondes ?

La petite enquête que j'ai menée par l'observation, la lecture et maintes conversations avec les contrôleurs m'a persuadée que Socrate ne répondait pas seulement à une exigence de « modernisation ». Si les bornes informatisées ne simplifient guère l'émission des billets, l'automatisation favorise en effet les suppressions d'emplois. Dans mon enfance, on affirmait que l'innovation technique entraînerait une amélioration des conditions de travail ; désormais il s'agit de réduire les charges de personnel, selon des normes de rentabilité toujours plus exigeantes, au nom de cette stimulante concurrence censée déboucher, un jour, sur l'enrichissement de chacun. À mes yeux naïfs de fille de la social-démocratie, la SNCF aurait pu se glorifier d'employer des effectifs nombreux et bien traités ; cette entreprise d'État régnait seule sur le marché et nul n'avait à s'en plaindre ; la puissance publique assurait son financement sans difficultés notables ; des années de « croissance » ininterrompue auraient même dû rendre cette dépense un peu plus aisée… Or, inexplicablement, depuis qu'elle voulait devenir « rentable », la compagnie s'avérait toujours exsangue et contrainte

contrainte de se réformer forced to reform/overhaul itself
s'aggravaient worsened
endettements *here:* losses
on pouvait douter one might doubt
mettaient en œuvre implemented
de telles such
m'agace irritates me
alimente feed, sustain
but ultime ultimate purpose
À les croire If we're to believe them
viserait would aim for
remplissage capacity
cesser de regarder cease to view
navette shuttle
mise à leur disposition put at their disposal
selon des according to
horaires fixes fixed schedules
casser break
mauvaises habitudes bad habits
logiciel software
gamme range
avantageuses attractive
poursuivent strive for
esprits minds
moduler modulate
bourrer pack/cram full
supprimer cancel
autant de so much
esprit contemporain contemporary mind
gestion management
en pleine voie in the middle of the track
champ fleuri field in bloom/blooming with flowers
rame train
secours emergency/rescue
micro microphone, public address system
dédommagement financier financial compensation
avantageux attractively priced
inaptes à incapable of
nous plaindre complaining about
quadrillage network
ferroviaire rail
se déplacer to travel

de se réformer davantage ; plus les économies augmentaient, plus **s'aggravaient** les **endettements** exigeant de nouveaux efforts. Au point qu'**on pouvait douter** de la compétence ou de l'honnêteté de ceux qui **mettaient en œuvre de telles** transformations.

Quand tout cela **m'agace** trop, je vais surfer sur Internet où une masse d'informations **alimente** ma réflexion. Des usagers, des employés de la SNCF me communiquent leurs propres hypothèses sur le **but ultime** de Socrate. **À les croire**, ce système de réservation **viserait**, en fait, l'idéal du *remplissage maximum*. Les habitués devraient **cesser de regarder** le train comme une **navette** d'accès facile, **mise à leur disposition selon des horaires fixes**. Pour **casser** les **mauvaises habitudes**, l'entreprise a donc choisi un **logiciel** qui rend très difficile l'achat d'un billet sans date de départ ni de retour. Puis elle a créé toute une **gamme** de formules **avantageuses**, de promotions compliquées qui **poursuivent** exactement le même but : instiller dans les **esprits** le réflexe de la réservation, **moduler** les tarifs selon la demande, **bourrer** les trains rentables et **supprimer** les autres – **autant de** progrès où l'**esprit contemporain** voit la marque d'une bonne **gestion**.

Je me rappelle encore ce jour où mon train s'était arrêté **en pleine voie**, près d'un **champ fleuri**. La **rame** restait immobilisée depuis plus d'une heure. Comme la locomotive de **secours** n'arrivait pas, un contrôleur avait enfin pris le **micro** et délivré un message par lequel la SNCF priait sa « clientèle » d'excuser ce retard, avant de promettre une forme de **dédommagement financier**. Autrefois, la SNCF ne s'excusait pas : elle représentait l'État dont nous étions les bénéficiaires, gratifiés d'un service **avantageux** mais **inaptes à nous plaindre**. Ce jour-là, les « usagers » venaient de se transformer en « clients ». Après le moyen âge du service public, la Société nationale des chemins de fer était devenue une « entreprise » adulte et responsable, regardant ses voyageurs comme des partenaires. C'est ainsi, avec sourire et générosité, que se présenta à moi cette nouvelle logique commerciale consistant aussi bien à moduler les tarifs, à supprimer les lignes inutiles qu'à abandonner tout à fait le **quadrillage ferroviaire** du pays – au moment où les angoisses écologiques nous informaient pourtant qu'il n'existait pas de meilleur moyen de **se déplacer**.

tronçonneuse chain saw
résonne reverberates
au loin far off/away
soupir sigh
Je viens d'envoyer I've just sent
ordre du jour agenda
conseil d'administration board of directors (meeting)
je me suis sentie I felt
cofondatrice cofounder
me contenter content myself
épisodique occasional
grands dossiers major issues
Essoufflée Out of breath
sapinières forests of firs/fir trees
parfum *here:* scent
j'éplucherai ma salade I'll peel my lettuce
suisse allemande Swiss German (language)
il fait encore bon the weather is still nice
malgré in spite of
je descendrai lire I'll go down to read
creux hollow
cimes mountaintops
conduite par driven by
attrait attraction/appeal
prêts à bousculer ready to knock down
courants artistiques artistic movements/trends
inédits original
boîtes de nuit nightclubs
branchées trendy
à la recherche on the lookout/looking for
incarnait embodied, represented
l'un des premiers modèles one of the first models
d'ordinateur personnel of a personal computer
si j'aimais déjà if I still loved
paisibles peaceful
ventilateur fan
qui ne marchait pas that didn't work
bonnes sœurs nuns
avaient fait place à had given way to
jeunes chevelus young people with long hair
cadres corporate executives
Je me faisais remarquer I got noticed
imprégnée de absorbed by
vestimentaires of clothing

Dimanche 13

Un bruit de **tronçonneuse résonne au loin**. Aujourd'hui, sous le ciel bleu pâle, l'air est doux comme un dernier **soupir** de l'été. **Je viens d'envoyer** par e-mail l'**ordre du jour** de mon prochain **conseil d'administration**. Un instant, **je me suis sentie** privilégiée : **cofondatrice** d'une petite agence prospère, je peux **me contenter** d'une présence **épisodique** au bureau, limitée aux **grands dossiers**, aux réunions importantes. **Essoufflée**, je pose mon cageot de bois et m'arrête un instant pour écouter le torrent. D'ici, la vue domine le village entouré de vastes **sapinières** qui donnent au paysage ce **parfum** de résine. Tout à l'heure, **j'éplucherai ma salade** en écoutant une station de radio **suisse allemande** dont les accordéons et les clarinettes m'offriront une agréable sensation de régression rurale, puis je chercherai dans la bibliothèque un livre que je n'ai jamais lu. Demain, s'**il fait encore bon malgré** l'hiver qui s'approche, **je descendrai lire** au bord de la rivière, dans ce **creux** de montagne d'où l'on aperçoit les prairies des **cimes**, comme si rien n'avait jamais changé.

Pourquoi aimer les choses qui n'ont « jamais changé » ? La première partie de ma vie était plutôt **conduite par** l'**attrait** des choses qui changent, des découvertes extraordinaires, des hommes politiques **prêts à bousculer** nos habitudes, des **courants artistiques inédits**. À vingt ans j'allais dans les festivals de cinéma d'avant-garde et les **boîtes de nuit branchées, à la recherche** de tout ce qui **incarnait** l'esprit moderne. À vingt-cinq ans je possédais **l'un des premiers modèles d'ordinateur personnel** et, **si j'aimais déjà** les vieilles fermes, c'était comme les souvenirs **paisibles** d'un passé qui permettaient de mesurer l'histoire en mouvement.

À chaque voyage, je retrouvais les mêmes compartiments avec leurs banquettes en moleskine, leur **ventilateur qui ne marchait pas**, leurs photos en noir et blanc de paysages d'avant-guerre. Les **bonnes sœurs** et les militaires **avaient fait place à** une population de **jeunes chevelus** et de **cadres** dynamiques. **Je me faisais remarquer** à mon tour, **imprégnée de** nouveaux styles **vestimentaires** et musicaux, avec mon walkman où passaient les

sacs en skaï rose pink fake-leather bags
Patrick Modiano highly popular contemporary novelist, a literary star of sorts
voitures « Corail » train cars with rows of seats instead of compartments. "Corail" is a type of long-distance commuter train.
des années soixante-dix of the 1970s
inlassable tireless
regarder vers l'avant to look ahead
plus attentivement more attentively
vers l'arrière backwards
jalons markers
dont la présence m'avait discrètement rassurée whose presence had quietly reassured me
grandissait was growing
vidant de toute signification emptying of all meaning
goudronné paved with asphalt
À Paris même Even in Paris
soirées branchées trendy parties
ressemblaient de plus en plus were looking more and more like
soirées d'entreprise business events
« **promo** » promotion, public relations
se coiffaient styled their hair
librairies bookstores
magasins de mode fashion stores
paresse laziness
ne parlait plus que de didn't talk of anything but
rechercher en arrière to look behind
en train de disparaître beginning to disappear, in the process of disappearing
idée fixe obsession
je m'adonne I devote myself to
gestes primitifs primitive gestures/actions
m'évitent spare me
couper du bois to cut wood
faire du feu to build a fire
aller acheter to go to buy
litre de lait liter of milk
croiser des bêtes come across animals
en me rappelant remembering
petit ours little bear
broussaille undergrowth
trace du sentier the mark/sign of the path
inquiétants disturbing
m'encerclent surround me
à la nuit tombante at nightfall

Talking Heads, mes **sacs en skaï rose** et mes romans de **Modiano.** J'avais même accueilli avec bonne humeur les premières modifications de l'express de 13 h 18, quand d'amples **voitures « Corail »** avaient remplacé les vieux compartiments, comme pour nous dire encore (c'était à la fin **des années soixante-dix**) que la modernité serait toujours plus confortable, spacieuse, rapide, optimiste.

Un mouvement **inlassable**, ininterrompu depuis la nuit des temps, m'obligeait **à regarder vers l'avant...** jusqu'à ce moment où j'ai commencé à regarder **plus attentivement vers l'arrière.** Était-ce le premier signe du vieillissement ? Me retournant pour chercher ces **jalons dont la présence m'avait discrètement rassurée,** je me suis aperçue qu'ils avaient presque tous disparu. Portée par les slogans de rénovation, une nouvelle civilisation **grandissait** irrésistiblement sur la précédente, **vidant de toute signification** les vestiges du passé. La plupart des fermes s'étaient recomposées en maisons modernes avec chemin **goudronné. À Paris même,** les quartiers historiques se transformaient en circuits pour touristes et en résidences de luxe ; les **soirées branchées ressemblaient de plus en plus** aux **soirées d'entreprise** ; les jeunes écrivains parlaient de la « **promo** » de leur dernier roman ; les actrices à la mode **se coiffaient** comme des héroïnes de séries américaines ; les **librairies** se transformaient en **magasins de mode.** En trente ans le monde ancien s'était évaporé et, avec lui, cette modernité que nous avions rêvée comme un triomphe de la liberté, de l'imagination, de la **paresse...** Le présent **ne parlait plus que de** travail, de productivité, de profits.

Dès ce moment, j'ai commencé à **rechercher en arrière** les sentiments rares et subtils qui m'avaient attirée dans le futur. Mon goût pour le monde **en train de disparaître** s'est transformé en **idée fixe.** Avec une jubilation presque ridicule, **je m'adonne** aujourd'hui à chacun des **gestes primitifs** qui **m'évitent** d'utiliser une machine ou un véhicule : **couper du bois, faire du feu,** marcher une heure pour **aller acheter** un **litre de lait,** en sentant exactement la distance et l'effort nécessaires ; connaître la pluie, le froid, la brume ; **croiser des bêtes en me rappelant** le conte de Michka, le **petit ours** de la forêt. Imaginer que je me perds dans la **broussaille,** que la **trace du sentier** disparaît, que des bruits **inquiétants m'encerclent à la nuit**

cette peur antique this ancient fear
grimper climb
le long du torrent all along the (mountain) stream
la toute dernière ferme the very last farm
Perchée Perched
clairière clearing
sortie de terre growing out of the earth
au coin in the corner
âtre hearth
appentis lean-to
étable stable
ruisseau stream
s'écoule flows
bac basin
en grès in sandstone
planche plank
en train de mûrir ripening
somme dérisoire ridiculous sum
« minimum vieillesse » minimum retirement pay
bondissent jump
du sommet de l'armoire from the top of the armoire/cupboard
égrène son tic-tac ticks, ticktocks
météo régionale regional weather report
Voici quelques années Several years ago
Habillez-vous chaudement Dress warmly
chutes de neige snowfall
redoutait dreaded
isolement isolation
hivernal winter
pistes de ski ski slopes
On dirait qu'il travaille You'd think he worked/It's as if he worked
entreprise de loisirs leisure/vacation company
ne signifie plus no longer signifies
empreinte *here:* impact
clochards street bums, tramps
appréhender to dread
me livre brings to me
quelques bribes a few bits and pieces
mal dans sa peau ill at ease
en quête de in search of

tombante ; retrouver **cette peur antique** sous les grands arbres, puis **grimper** encore **le long du torrent** jusqu'à **la toute dernière ferme** encore en activité.

Perchée dans une **clairière** au-dessus du village, celle-ci semble littéralement **sortie de terre**, fabriquée avec les roches et les arbres de la montagne. C'est la maison de Paul, de ses deux vaches, de ses poules et de son cochon. Il y passe l'hiver **au coin** de l'**âtre** et me reçoit avec une tasse de mauvais café. Sous l'**appentis**, près de l'**étable**, le **ruisseau s'écoule** continuellement dans un **bac en grès**. Dans la cuisine, sur une **planche** inclinée, quelques fromages **en train de mûrir** rapportent une **somme dérisoire** qui représentait autrefois l'essentiel des revenus de Paul et, aujourd'hui, beaucoup moins qu'un « **minimum vieillesse** ». Des chats **bondissent du sommet de l'armoire** sur un fauteuil. L'horloge **égrène son tic-tac** et j'écoute cet homme dire qu'il n'aime pas la neige qui va venir, cette neige qui rendait la vie dure aux paysans, cette neige qu'attendent impatiemment les *rurbains*, parce qu'elle marque le début de la saison touristique d'hiver.

Une infinité de changements minuscules ont bouleversé le sens du monde, comme je le constate au téléphone, à l'écoute de la **météo régionale. Voici quelques années**, on annonçait l'arrivée de l'hiver en ces termes : « ***Habillez-vous chaudement****, ce sera une mauvaise semaine, avec d'abondantes* ***chutes de neige****...* » Chacun **redoutait** le froid et l'**isolement**. Aujourd'hui, le préposé de la station enregistre son message sur un ton enthousiaste : « *Bonjour à tous et à toutes. Une excellente perspective ce matin : la neige arrive enfin. D'abondantes chutes vont redonner à notre région son caractère* ***hivernal*** *et permettre d'ouvrir les* ***pistes de ski.*** » **On dirait qu'il travaille** pour une **entreprise de loisirs**. Le même phénomène qu'hier **ne signifie plus** la même chose ; l'**empreinte** du climat sur les conditions de vie doit être radicalement réinterprétée ; les vieux paysans et les **clochards** des villes sont les derniers à **appréhender** le froid. Ce progrès, devenu tellement banal, rend soudain précieuse l'ancienne question du temps dont Paul **me livre** encore **quelques bribes** en reprenant : « Je n'aime pas cette neige qui va tout recouvrir. » Alors, à mon tour, comme une Parisienne **mal dans sa peau**, comme une femme moderne **en quête d'**authenticité,

d'antan of old
affaires juteuses hot deals
Il y a deux ans Two years ago
nous venions de fêter we had just celebrated
correspondance train connection
je n'avais pas reconnu *here:* I had not seen
son unique compartiment de première its one first-class compartment
Je me doutais bien que I suspected that
périmé outdated
au rabais third-rate
étriqué cramped
pauvre jouet en tôle et en plastique poor toy made of metal and plastic
saleté filth
n'avoir jamais été nettoyée never to have been cleaned
depuis la mise en service since being put into service
plaisantins jokers
du bout des doigts with the tips of their fingers
sexes genitals
poussière grasse the thick dust
intendance housekeeping
situation d'urgence emergency
au rebut scrapped
faute de mieux for want of something better
Tout rentrerait dans l'ordre Everything would return to order
semaine suivante next/following week
étroitesse narrowness
coulissantes sliding
il fallait passer *in effect:* you had to squeeze past
chaque épaule every shoulder
successivement in succession, successively
crasse filth
cendriers ashtrays
emballages de sandwiches sandwich wrappings
bouchées stopped up, clogged
lacérées jusqu'à la mousse ripped down to the foam padding
pressurés squeezed
ouvriers lorrains workers from the Lorraine
grandit grows

je m'efforce de retrouver les sensations d'antan en coupant du bois et en allumant le fourneau, avant de regagner la ville pour reprendre les affaires juteuses qui me permettent de vivre ici comme une sauvage.

Lundi 14

Il y a deux ans précisément (je me rappelle ce jour ; nous venions de fêter le quinzième anniversaire de l'agence), je regagnais mon village après un mois entier à Paris. Jusqu'à Nancy, le Corail avait suivi son cours immuable. Arrivée dans la capitale lorraine pour la correspondance, je m'étais dirigée vers le quai n° 11 où m'attendait, comme toujours, l'autorail de la montagne. Première surprise : je n'avais pas reconnu le train habituel avec son unique compartiment de première, sa grande voiture de seconde aux banquettes en moleskine usée. Je me doutais bien que ce train-là finirait par disparaître mais – deuxième surprise –, contrairement au mouvement supposé de l'histoire, le modèle périmé n'avait pas été remplacé par un modèle plus moderne et plus spacieux. À sa place patientait un véhicule au rabais, étriqué, comme un pauvre jouet en tôle et en plastique. Ce train misérable était couvert de saleté ; sa peinture grise semblait n'avoir jamais été nettoyée depuis la mise en service, sauf par ces plaisantins qui, du bout des doigts, avaient dessiné des cœurs et des sexes sur la poussière grasse.

J'ai préféré supposer qu'il s'agissait d'un incident, d'un problème ponctuel, d'une difficulté d'intendance. Pour répondre à une situation d'urgence, la vigilante société des chemins de fer avait trouvé ce véhicule au rebut, faute de mieux. Tout rentrerait dans l'ordre la semaine suivante. J'ai donc fermé les yeux sur l'étroitesse des portes coulissantes où il fallait passer chaque épaule successivement, sur la crasse qui régnait aussi à l'intérieur : cendriers non vidés, emballages de sandwiches, toilettes bouchées, banquettes lacérées jusqu'à la mousse... En traversant la voiture de seconde classe, j'ai remarqué les corps pressurés des ouvriers lorrains pour lesquels on n'avait pas trouvé d'autre moyen de transport. Bizarrement, alors que la population grandit régulièrement

en taille in size
en poids in weight
mesures *here:* dimensions
à peine hardly
tenir les genoux droits keep one's knees straight head
face à son vis-à-vis while facing the person opposite
Quant à moi As for me
je m'en étais octroyé I had given myself
J'aurais vite oublié I would have quickly forgotten
j'empruntais cette ligne I took this line
dans un sens ou dans l'autre in one direction or the other
tel le porte-parole like the spokesman
navré apologetic
en perdition in ruin
Je ne connaissais pas encore I did not yet know/understand
auraient pu approuver *in effect:* would have enabled me to agree with
encore qu'il even though it
aux heures de grand affluence during rush hours, at peak hours
moyennant in return for
entretien upkeep, maintenance
pupille ward
assistance publique ferroviaire railroad welfare system
net clear
relèvent eux-mêmes *here:* belong themselves
insuffisamment rentables not profitable enough
lignes performantes high-return, profitable lines
à forte plus-value *in effect:* that had greatly appreciated in value
cadres modernes modern executives
nouvelle bourgeoisie newly affluent people
habituée des accustomed to
trains à grande vitesse high-speed trains
qui paient leur kilomètre cinq fois plus cher who pay five times more per kilometer
devait être identique had to be the same
fardeau burden
alléger *here:* reduce the number of
au rabais at a discount/reduction
défavorisée *here:* unfairly treated, put at a disadvantage

en taille et **en poids**, les **mesures** de ce train, inférieures à celles du précédent véhicule, permettaient **à peine** de **tenir les genoux droits face à son vis-à-vis. Quant à moi**, j'ai cherché en vain la voiture de première où je pensais m'installer plus confortablement, comme **je m'en étais octroyé** le droit en payant mon ticket plus cher.

J'aurais vite oublié cet incident si la même situation ne s'était répétée au voyage retour, puis à nouveau la semaine suivante et, bientôt, chaque fois que **j'empruntais cette ligne dans un sens ou dans l'autre**. C'est alors seulement que j'ai posé la question au contrôleur, qui m'a annoncé, **tel le porte-parole navré** d'une entreprise **en perdition** :

– Madame, il s'agit d'un train *déclassé*.

Je ne connaissais pas encore l'expression. D'après l'explication, cette nouvelle catégorie supprimait toute distinction entre première et seconde classe. Mes penchants égalitaristes **auraient pu approuver** une telle réforme (**encore qu'il** soit agréable, **aux heures de grande affluence**, d'accéder à une place assise **moyennant** un petit effort financier) ; mais il était clair que ce « déclassement » correspondait à un abandon total de l'**entretien** du véhicule, comme si la SNCF remettait entre les mains de la collectivité cette **pupille** de l'**assistance publique ferroviaire**. La misère particulière du train déclassé tient au sentiment très **net** que la ligne concernée et ses voyageurs **relèvent eux-mêmes** de catégories « déclassées », c'est-à-dire **insuffisamment rentables** pour l'entreprise d'État. Quelques échanges sur Internet me le confirmèrent bientôt : la priorité allait désormais aux **lignes performantes**, aux passagers **à forte plus-value – cadres modernes** et **nouvelle bourgeoisie habituée des trains à grande vitesse, qui paient leur kilomètre cinq fois plus cher** que les ouvriers lorrains. Ma vieille ligne provinciale – survivance d'une époque où le tarif kilométrique **devait être identique** pour chaque citoyen, d'un bout à l'autre du territoire – apparaissait désormais comme un inutile **fardeau**.

Ce n'était donc pas pour une raison morale ou sociale qu'on avait supprimé les classes, mais pour **alléger** le personnel nécessaire à l'entretien. Par la notion de « déclassement » on signifiait l'abandon de toute responsabilité et, naturellement, ce transport **au rabais** s'appliquait aux passagers d'une vieille région **défavorisée**

usine factory
dessinait drew
à faible rendement with a weak return
misère poverty
survivre to survive
hors des out of
s'entassait was crammed
banlieues sinistrées disaster-stricken suburbs
Meurthe-et-Moselle These two rivers give their name to an economically depressed *département* in the rust belt of northeastern France.
tiers-monde third world
délabré dilapidated
qui ne mérite plus d'être nettoyé that is no longer worth cleaning
rend obligatoire son maintien makes its upkeep compulsory
a d'autres affaires à régler has other business to settle
dettes urgentes urgent debts
rembourser to repay
et toujours du retard and always late
caisses de soutien welfare funds
œuvres sociales social charities
aides régionales regional aid organizations
s'en charger to take it upon themselves
Plus...plus The more...the more
me paraît absurde seemed absurd to me
agacement irritation, aggravation
se teinte d'euphorie becomes tinted with euphoria
gestionnaires managers
entendent hear
mensonges lies
un grain de folie *here:* a touch of madness
détruisent destroy
romanesque storybook
allège *here:* mitigates
côté désespérant desperate side
appréhendé dreaded

où le chemin de fer restait le meilleur moyen de se rendre à l'école ou à l'usine. Cette réforme dessinait une géographie nouvelle du prolétariat, avec ses itinéraires à faible rendement, ses voitures sans chauffage, transports de misère condamnés à survivre hors des circuits modernes. Dans le véhicule s'entassait la population des banlieues sinistrées de Meurthe-et-Moselle ; et chaque fois que nous reprenions la route, j'éprouvais le sentiment – nouveau dans mon existence – d'habiter un pays du *tiers-monde*. Non pas le tiers-monde archaïque antérieur au développement industriel, mais ce tiers-monde délabré qui *succède* au progrès ; une société à l'image de ce véhicule collectif qui ne mérite plus d'être nettoyé, à l'extérieur ni à l'intérieur ; à l'image de cette ligne abandonnée dont l'entreprise affirme qu'elle coûte encore trop d'argent. Seule l'autorité de la République rend obligatoire son maintien, mais avec négligence, comme une branche morte du secteur public qui a d'autres affaires à régler, des dettes urgentes à rembourser, et peut bien laisser cette ligne-là prendre encore et toujours du retard, en attendant que des caisses de soutien, des œuvres sociales, des aides régionales acceptent de s'en charger.

Lundi soir

Plus cette organisation me paraît absurde, plus mon agacement se teinte d'euphorie. Je me demande si nos gestionnaires entendent leurs mensonges ou s'ils sont possédés par un grain de folie, quand ils détruisent au nom d'une réforme urgente et salutaire. Leur conception de la vie et de l'entreprise a quelque chose de romanesque, au sens extravagant – ce qui allège le côté désespérant.

Mercredi 16

Demain, je rentre à Paris. J'ai toujours appréhendé ce moment du départ. Quand je venais ici, l'été, dans ma famille, la fin des « grandes vacances » approchait comme une sinistre perspective pleine

champs fields
redoute dread
je retournais vers was turning back toward
carrière sociale social career
réseaux networks
dégénérée degenerate
peu coûteuse inexpensive
délassement relaxation
citadine city girl
j'ai pourtant envie de pleurer I nevertheless wanted to cry
déprimante depressing
pentes slopes
tuyaux rouillés rusty pipes
dévalent run down
paroi rocheuse rock face
alimenter to keep...going
papeteries paper mills
lotissements subdivisions
immeubles buildings
brumes montagnardes mountain mists
s'estompe is blurred
pluie battante driving rain
drogués drug addicts
chute pénible difficult fall
tags stenciled signs on the sides of trains
gouttes drops (of rain)
s'écraser *here:* striking
vitres windows
noires de suie black with soot
versants boisés wooded mountainsides
se ranimera will be restored/revived
courrier mail
prévue *here:* planned
sortie release
au peu d'importance *here:* about what little importance
qu'auront la pluie et la couleur du ciel the rain and the color of the sky will have
me noyer drown myself
Comme d'habitude As usual
poubelles trash cans
vidées emptied
en panne not working, out of order

d'école et d'obligations, après deux mois lumineux passés dans les **champs**. Aujourd'hui, à cinquante ans, je **redoute** encore de quitter le village, comme si **je retournais vers** l'abstraction, la nervosité, vers la **carrière sociale** et ses **réseaux**, tellement moins intéressants que l'idée de faire du feu ou d'aller à la ferme acheter une douzaine d'œufs. Je sais bien que, si je prends tant de plaisir à acheter une douzaine d'œufs, c'est parce que je suis une créature moderne un peu **dégénérée** ; cette promenade représente pour moi une distraction **peu coûteuse**, un **délassement** de **citadine**... Le jour du départ, **j'ai pourtant envie de pleurer** comme la petite fille que j'étais, condamnée à retrouver la *réalité,* à commencer par cette longue et **déprimante** descente en auto vers la plaine industrieuse, vers le monde sans perspective et sans histoire qui s'est substitué à mes rêves de modernité.

Le taxi roule entre les **pentes** de la montagne, toujours plus bas, toujours plus gris. Quelques **tuyaux rouillés dévalent** une **paroi rocheuse** pour **alimenter** des turbines électriques ; puis l'horizon s'élargit cruellement dans la plaine sur un paysage de **papeteries**, de lignes électriques, de **lotissements**, d'**immeubles**, de supermarchés ; le mystère des **brumes montagnardes s'estompe** tout à fait dans l'universelle banlieue, sous la **pluie battante**. Voilà précisément ce que les **drogués** appellent une « descente ». Après cette **chute pénible** de l'altitude et du moral, je grimpe tristement dans le train déclassé recouvert de **tags**. Je regarde les **gouttes s'écraser** sur les **vitres noires de suie**. Dans mes souvenirs, il pleut toujours au moment du départ. Le train va descendre encore, oublier les derniers **versants boisés**, jusqu'à ce moment où mon humeur **se ranimera**, en songeant à Paris où je vais arriver tout à l'heure, à l'abondant **courrier** qui m'attend, à la fête **prévue** pour la **sortie** du film de Jacques, **au peu d'importance qu'auront la pluie et la couleur du ciel** dans le quartier des Champs-Élysées, parce que la ville est un autre monde, plus rapide et plus animé, plus impersonnel et plus joyeux, où je vais **me noyer** jusqu'à mon retour ici.

Comme d'habitude, les **poubelles** du wagon déclassé ne seront pas **vidées**, le chauffage sera peut-être **en panne** et je reconnaîtrai, provenant de la plate-forme, cette forte odeur de cannabis dont je

par principe on principle
dégoûtant disgusting
zone slum
baigner to bathe
déglinguée busted
chargée de paniers loaded down with baskets
qu'on croirait sortis *here:* that one would think was straight out of
ont fait place have given way to
banlieusards suburbanites
casquettes de base-ball baseball caps
enjoignaient enjoined, requested
se pencher par lean out of
double annonce *here:* an announcement in two languages
officieusement unofficially
désigné designated
crépitent *here:* beep
se précipitent rush out
en manches de chemise in shirtsleeves
déranger to disturb
commence à me plaire begins to appeal to me
réconfortant comforting
appartenir to belong to/be a member of
frange aisée well-off/well-to-do fringe
tas heap, pile
fumier manure
un brin slightly
viennoiseries Danish pastries
friandises sweets
escroquerie swindle
écouler sell off
faire la queue get in line, line up
en goguette tipsy
s'étaleront will stagger

ne suis pas l'ennemie **par principe** mais qui, à l'intérieur d'un véhicule **dégoûtant**, accentuera mon impression de survivre en pleine **zone**, dans le ghetto ferroviaire. Je n'aurai pas l'impression de **baigner** dans la modernité mais dans cette éternité **déglinguée** où cohabitent les victimes du changement obligatoire, derniers « usagers » pas encore reconvertis en clientèle. À certains arrêts montent encore, parfois, une femme **chargée de paniers**, un homme en béret, **qu'on croirait sortis** du XIXe siècle. Plus bas dans la plaine, les ouvriers lorrains **ont fait place** définitivement aux **banlieusards** texans, coiffés de **casquettes de base-ball**.

À Nancy, changement de style. Je rejoins la première classe internationale des trains rapides. Dans l'express d'autrefois, des indications en quatre langues (français, allemand, anglais, italien) **enjoignaient** de ne pas **se pencher par** la fenêtre. Elles me rappelaient que je vivais au cœur de l'Europe. Aujourd'hui, sur les lignes d'Allemagne, d'Espagne ou d'Italie, l'accueil des passagers se fait par une **double annonce** en français et en anglais, **officieusement désigné** comme langue de l'Europe nouvelle. Des ordinateurs **crépitent** ; quelques téléphones sonnent mais leurs utilisateurs restent affables ; ils **se précipitent en manches de chemise** vers la plate-forme, pour ne pas **déranger**. Dès Bar-le-Duc ou Châlons-en-Champagne, cette société de cadres modernes, souriants, aimables, anglophones, rapides et parfois galants **commence à me plaire**. J'ai le sentiment **réconfortant** d'**appartenir** à la **frange aisée** de la société nouvelle. Je me réjouis d'utiliser cette navette ferroviaire surtaxée qui me conduit régulièrement de mes affaires parisiennes aux rêveries devant mon **tas** de **fumier**, et inversement.

Une annonce retentit : « *Ladies and gentlemen…* » Le discours de notre « steward » est pompeux, le ton **un brin** efféminé. Il promet des **« viennoiseries »**, des « assortiments de **friandises** », un « buffet froid » et un « buffet chaud ». Ce langage stéréotypé relève de la banale **escroquerie** commerciale consistant à « communiquer » pour **écouler** une marchandise insipide. Au point de vente il faudra **faire la queue** pendant quinze minutes, debout parmi les cadres **en goguette** qui **s'étaleront** jusqu'au wagon suivant. Les hommes d'affaires s'impatienteront en souriant mais continueront à se

Sitôt As soon as
prise la commande the order is taken
tendront will hand over
arpenteront will stride through
tièdes lukewarm
panier basket
décongelées defrosted
regardait défiler le paysage watched the countryside go by
avaler to swallow
ont conservé have kept
gare de l'Est East Train Station, one of several train stations in Paris, this one serving eastern France and beyond
Pressé In a hurry
retrouver to get back to
contrats en vue contracts in sight
virements bank transfers
fraîchement *here:* newly
huîtres oysters
courses shopping
l'air vif crisp air
vitrines (plate glass) store windows
annonçant le beaujolais nouveau announcing the new Beaujolais wine, an annual event in November across France
hall concourse
je jetterai un coup d'œil I will glance
immense tableau The oversize painting depicts scenes of World War I conscripts leaving for the front after a last embrace with their girlfriends.
accroché hung
guichets ticket counters
la guerre de 14 World War I
Fleur au fusil A flower in the barrel of a gun
troufions common foot soldiers
s'enlaçaient embraced
à l'aube at the dawn
m'émeut moves me
sanguinaire bloody
tourbillonneront will swirl around
s'emparera will overpower
louve she-wolf
à l'affût de sa pitance on the prowl
Avant-hier soir Night before last
lancée *here:* thrown
pour favoriser *here:* to facilitate
j'étais placée I was seated

regarder comme des privilégiés. **Sitôt prise la commande**, ils **tendront** leur carte de crédit comme si l'essentiel était de payer. Puis ils **arpenteront** le train avec leur sac de provisions **tièdes**, en attendant de voir à quoi ressemble ce **panier** de viennoiseries **décongelées.** Dans l'express de 13 h 18, le service était lent et la nourriture médiocre, mais on pouvait s'asseoir ; on **regardait défiler le paysage** en lisant le journal, avant d'**avaler** une soupe et un verre de vin rouge en échangeant des phrases avec son voisin. Quelques trains allemands **ont conservé** leurs wagons-restaurants ; comme si les vieux pays du Nord restaient décidément plus attachés aux derniers luxes du siècle passé.

En arrivant **gare de l'Est**, je serai pourtant joyeuse. **Pressée de retrouver** Paris, je penserai aux **contrats en vue**, aux **virements fraîchement** arrivés, aux **huîtres** de l'hiver qui commence, aux **courses** dans les grands magasins, à **l'air vif** des boulevards, aux **vitrines** des bistrots **annonçant le beaujolais nouveau.** En traversant le **hall** de la gare, **je jetterai un coup d'œil** vers l'**immense tableau accroché** au-dessus des **guichets** : le départ des soldats pour la **guerre de 14. Fleur au fusil**, les **troufions** et leur fiancée **s'enlaçaient** joyeusement aux fenêtres des trains, **à l'aube** des temps modernes, quelques jours avant le début du massacre. Cette peinture **m'émeut.** Même barbare et **sanguinaire**, l'histoire me rassure. J'ai besoin de sentir cette perspective, ce chemin parcouru, ce qui a changé et ce qui est resté... Les banlieusards **tourbillonneront** et, déjà, la légende parisienne **s'emparera** de mon esprit. Je me précipiterai vers la station de taxis pour un rendez-vous urgent, un rendez-vous qui m'excite. De retour à Paris, loin des brumes campagnardes, je retrouverai mes instincts de **louve à l'affût de sa pitance.**

Dimanche 20

Avant-hier soir, au dîner de gala « Idées et parfums » – nouvelle soirée **lancée pour favoriser** les rencontres entre managers, show-business, intellectuels et journalistes –, **j'étais placée** près d'un haut responsable de la SNCF. Mon agence organisait cette réception et

œuvré worked hard
gratin upper crust
boucher un trou to fill a hole
vu given
Taquinée Worried
déboires problems
entreprise publique The SNCF is the last bastion of state-run enterprise and continues to hold out against attempts to privatize it, even though some freight services have been sold.
se tenaient were standing
convives guests
animatrice host
enfance battue child abuse
mondialisation globalization
caracole hovers
en tête des ventes at the top of the best-seller list
éphémère *in effect:* here one minute and gone the next
footballeur soccer player
causant chatting
en évitant while avoiding
toute la tablée all the (people at) the table
je m'efforce I try hard
propices favorable
bourdonnement buzz
quarantaine man in his forties
frisé curly-haired
à la fois at once, at the same time
préside heads
presque aussitôt almost immediately
couche-t-elle vraiment avec is she really sleeping with
influe-t-il is this influencing
l'ennuyer to bore him
glissaient glided along
séjours stays
sournoise underhanded
bruyante noisy
elle avait insisté sur she had stressed
d'affirmer solennellement of solemnly asserting
en pleine activité urbaine right in the middle of an urban activity
aurait frisé would have verged/bordered on

j'avais **œuvré** pour rassembler le **gratin** qui se trouvait là, dispersé en vingt tables de six personnes. Cela ne m'amusait pas spécialement de m'asseoir près d'un homme d'entreprise. Au dernier moment, je me suis sacrifiée pour **boucher un trou** et, **vu** ma nature accommodante, la perspective a commencé à m'amuser. **Taquinée** par mes obsessions, j'allais lui conter mes **déboires** avec l'**entreprise publique**, entendre sa réaction, écouter ses explications… Autour de nous **se tenaient** quatre autres **convives** : Lauren, une **animatrice** de télévision qui consacre ses loisirs à l'**enfance battue**, François Singulier dont le livre *Pour une* ***mondialisation*** *critique* **caracole en tête des ventes**, une ministre **éphémère** et le **footballeur** Tazik Legros.

La conversation s'écoulait sans trop d'efforts, chacun **causant** avec son voisin ou sa voisine, **en évitant** d'imposer à **toute la tablée** l'exercice fatigant d'une conversation collective sur des sujets sérieux. Lors des rencontres que j'organise, **je m'efforce** toujours de composer des atmosphères **propices** à ce **bourdonnement** léger. En ce sens, la rencontre de Jean-Bertrand Galuchon, directeur adjoint de la communication à la SNCF, fut plutôt une bonne surprise. La **quarantaine**, grand blond **frisé**, il ne semblait pas enfermé dans son rôle administratif mais se montrait **à la fois** cultivé (il **préside** une fondation d'art contemporain), informé et curieux de tout. Il a aimé le motif cubiste de ma robe et, **presque aussitôt**, nous avons confronté nos opinions sur la nouvelle directrice de Canal Infos (**couche-t-elle vraiment avec** le ministre de la Culture ? Cela **influe-t-il** sur la conduite du journal télévisé ?), si bien que j'ai renoncé à **l'ennuyer** avec mes problèmes de train. Les échanges d'informations **glissaient** agréablement jusqu'au moment où, dans un silence, Lauren s'est tournée vers moi pour demander, un ton plus haut :

– Alors, Florence, il paraît que tu passes de longs **séjours**, complètement seule, dans une maison en pleine montagne ?

S'agissait-il d'une attaque **sournoise** ? Avec une indiscrétion **bruyante, elle avait insisté sur** « complètement seule », comme une incongruité amusante. Évidemment, l'idée **d'affirmer solennellement** ce goût de la solitude extrême, au moment où je me trouvais **en pleine activité urbaine, aurait frisé** le ridicule. Je n'allais pas

en mal de longing for
mentir to lie
je dirige I run
j'enfile mon fichu de paysanne I slip into my country clothes/garb
qui grésille full of static
On me dévisageait They stared at me
sa chaîne en or his gold chain
autour du cou around his neck
pommettes de beau gosse cheekbones of a beautiful child
a hoché la tête nodded his head
a paru agacé appeared irritated
blague joke
désobligeante offensive
people Anglicism referring to the rich and famous, including media personalities; the word is only pronounced French-style: *peepeul,* and is often used in conjunction with high-society press, e.g., *Paris Match,* c'est un magazine *people.*
d'élevage de chèvres of raising goats
a renchéri added (not to be outdone)
trayant milking
hameau hamlet
ajouté added
je me moquais de moi-même I was poking fun at myself
agréable plaisanterie pleasant joke
triée sur le volet hand-picked
avait intrigué had schemed
pour figurer sur la liste *here:* to get on the list
comptes rendus accounts, stories
divertissement diversion
coupes *here:* glasses of champagne
communier *here:* to be a part of
excitation excitement
présenter les uns aux autres introduce some to others
content happy
réussite success
il s'agissait all this was about
fausse vie fake life

m'afficher comme une Parisienne **en mal d'**authenticité. Mais, comme je sais très mal **mentir** et que je me crois toujours obligée de répondre aux questions, je n'ai trouvé d'autre solution que d'expliquer :

– Oui, je sais, ça peut paraître bizarre. En semaine **je dirige** mon agence. Et chaque week-end **j'enfile mon fichu de paysanne**, je range mon tas de bois et je retrouve le poste de radio **qui grésille.**

On me dévisageait avec intérêt. Le footballeur avec **sa chaîne en or autour du cou**, ses **pommettes de beau gosse** et ses yeux lents, **a hoché la tête** avec compréhension. François Singulier **a paru agacé**, comme si la **blague** était **désobligeante** en regard de ses réflexions d'ancien maoïste, devenu fervent propagandiste de la mondialisation. Lauren insistait :

– J'adore cette idée : une organisatrice de soirées *people* rêve de retour à la nature…

– De macramé, **d'élevage de chèvres** dans les Cévennes ! **a renchéri** Singulier. Vous n'avez pas quelque chose de plus excitant à nous proposer ?

– C'est mon côté Marie-Antoinette **trayant** les vaches en son **hameau**, ai-je **ajouté** en souriant, pour donner l'impression que **je me moquais de moi-même.**

Chacun maintenant riait avec moi, comme si ma vie n'était qu'une **agréable plaisanterie**. Dans quelques instants, le chanteur Steven allait recevoir le prix « Idées et parfums » devant cette assemblée **triée sur le volet**, dont une partie **avait intrigué pour figurer sur la liste**. Quelques-uns espéraient apparaître, la semaine suivante, dans les **comptes rendus** publiés par des magazines. Au milieu de ces ardents espoirs sociaux, ma rêverie bucolique passait pour un **divertissement**, à l'image de cette fête bien organisée.

Quand les tables ont commencé à se disperser, j'ai bu quelques **coupes** (j'adore le champagne) pour **communier** dans l'**excitation** nocturne ; j'ai recommencé à **présenter les uns aux autres**, à m'assurer que tout le monde était **content**, et chacun s'est persuadé que telle était ma « vraie vie », mon incontestable **réussite** : pouvoir établir la sélection d'individus importants représentée ici, connaître intimement cette assemblée *people*. En même temps, une petite voix intérieure répétait qu'**il s'agissait** de ma « **fausse vie** », que

allait bientôt disparaître was soon going to disappear
mentait lied
me soutenait *here:* sustained me
provisoires fleeting
m'a pris l'épaule put his hand on my shoulder
enjôleur winning
Il faudrait qu'on se revoie un de ces jours We should see each other again one of these days
Ça me ferait plaisir à moi aussi I'd like that too
finirait would end up
au fond d'un tiroir at the bottom of a drawer
Il a fait alors crépiter He therefore made the...fly
étincelle spark
sous-traitons subcontract
À la perspective At the prospect
affaire deal
flamme flame
chaleur warmth
je regagne I am going back to
bobine de cinéma movie reel
rame coach
à travers les cités through the towns
filer *here:* to fly
subit suffers, is subjected to
feux traffic lights
carrefours intersections
encombrements bottlenecks
le maintiennent collé au sol keep him stuck to the ground
glisse glides
il mène une existence libre he leads a free life

tout cela ne m'intéressait pas en comparaison du paysage qui **allait bientôt disparaître** sous la neige ; mais cette voix **mentait** elle aussi puisque, à l'évidence, un snobisme sincère **me soutenait** dans mon activité professionnelle et dans ma fréquentation de célébrités **provisoires** ; comme s'il me fallait connaître tout cela pour m'en éloigner parfois et retrouver ma maison perdue.

Tandis que les premiers invités s'en allaient, Jean-Bertrand Galuchon s'est approché de moi et **m'a pris l'épaule** avec son sourire **enjôleur** :

– **Il faudrait qu'on se revoie un de ces jours.** On pourrait déjeuner ensemble.

– **Ça me ferait plaisir à moi aussi** !

Tout en disant ces mots sur un ton sincère, je supposais que sa carte **finirait au fond d'un tiroir.**

Je préfère les artistes. **Il a fait alors crépiter** l'**étincelle** professionnelle :

– Aujourd'hui, à la SNCF, nous **sous-traitons** certaines campagnes de relations publiques. On pourrait penser à quelque chose ensemble…

À la perspective d'une *affaire*, mon sourire a retrouvé cette **flamme** dans laquelle on croit voir l'expression de ma **chaleur** humaine. Je me suis contentée d'ajouter :

– Comme je vous l'ai dit, je suis une habituée du rail. J'aurais beaucoup de choses à vous raconter. Cette semaine, **je regagne** la campagne. D'accord pour un déjeuner à mon retour.

Vendredi 25

J'aime le rythme du train, ce paysage qui défile comme une **bobine de cinéma.** Le mouvement continu de la **rame à travers les cités** et les campagnes donne le sentiment de **filer** au-dessus du temps. L'automobiliste, à l'intérieur de son véhicule, **subit** toutes les contraintes du monde extérieur : **feux, carrefours, encombrements** qui **le maintiennent collé au sol.** Le passager des chemins de fer **glisse** sur le réel ; **il mène une existence libre** à l'intérieur de cette navette où il peut dormir, travailler, manger,

se dégoudir to stretch
couloir corridor
collines hills
canaux canals
Quitter la gare Leaving the train station
nationale national highway
col mountain pass
encaissée steep-sided
hameaux hamlets
s'égrènent pass/go by
pêche à la ligne angling, fishing
herbes grasses
lumière dorée golden light
pentes rocheuses rocky slopes
cheminée chimney
clairière clearing
par la vitre baissée through the rolled-down window
bouffée plus âcre more acrid puff
camion truck
ralentissait was slowing down
éviter avoid
encombrée *here:* crowded
départementale small local road
je me demande I wonder/ask myself
au juste exactly
marchandises merchandise
déplacées d'un point à l'autre moved/transferred from one point to another
doit tellement augmenter has to increase so much/to such an extent
matières premières raw materials
libre circulation des biens free movement of goods
désert deserted
bûcherons woodsmen, lumberjacks
porches d'étables porches of cowsheds
voûte en berceau barrel vault
toits de tuiles tile roofs
grès rose pink sandstone
chiffonnée worn
clocher bell
a pris sa respiration *here:* has taken a breather
sentiers paths

rêver, avant d'aller **se dégourdir** les pieds dans le **couloir**, l'œil toujours fixé sur l'image en mouvement, le ciel, les **collines**, les zones industrielles et les **canaux**.

Samedi 26

Quitter la gare en taxi, filer sur la **nationale** en direction du **col** ; tourner dans la vallée **encaissée** où les noms de **hameaux** se succèdent dans un ordre précis... Quand **s'égrènent** les derniers kilomètres, je retrouve chaque détail des voyages de mon enfance. Aujourd'hui, comme nous remontions le long de la rivière, le chauffeur m'a parlé de **pêche à la ligne**. Le cours d'eau sinuait parmi les grandes **herbes** de la prairie. Une **lumière dorée** d'automne éclairait les sapinières accrochées aux **pentes rocheuses**. Là-haut, sur la montagne, j'ai reconnu la ferme de Paul dont la **cheminée** fumait au milieu de sa **clairière**. Soudain, **par la vitre baissée**, j'ai aspiré une **bouffée plus âcre** et plus noire ; celle du **camion** de marchandises polonais qui, depuis dix minutes, **ralentissait** notre avancée. Chaque jour, pour **éviter** la route **encombrée** du col, quelques transporteurs font le détour par cette **départementale**. Leur choix dénote un certain sens poétique, même si **je me demande** pourquoi, **au juste**, le nombre de **marchandises déplacées d'un point à l'autre doit tellement augmenter** chaque année. Quelles **matières premières**, quels objets manufacturés nécessitent ces ardents et incessants transferts ? Est-ce un aspect inévitable de la « **libre circulation des biens** » que cet envahissement progressif du territoire par des hordes de machines fumantes ?

J'en étais là de mes réflexions, quand la voiture a fait son entrée au village, toujours **désert** à cette heure où les rurbains sont en ville et les **bûcherons** en forêt. Même sans poules devant les maisons, j'aime ces **porches d'étables** et leur **voûte en berceau**, ces larges **toits de tuiles** et la petite auberge en **grès rose**. J'ai salué d'un geste la silhouette rapide et **chiffonnée** de madame Lecointre qui se précipitait chez madame Vogel. Le **clocher** sonnait midi ; le camion polonais **a pris sa respiration** avant de repartir plus vaillamment en projetant sur le taxi un nouveau jet de fumée noire ; mais j'étais heureuse à l'idée de rentrer chez moi, de marcher sur les **sentiers**,

rigoles avec ma houe channels with my hoe
s'est figé froze
ahurie flabbergasted
réverbère street lamp
flambant neuf brand new
au bord de beside
embranchement junction
poteau pole
remuée *here:* dug up
socle en béton concrete base
scellé *here:* anchored
éclairage lighting
Éberluée Astonished/Astounded
j'ai prié I asked
de quel droit by what right
axe axis
plongeante *here:* from above
j'ai fini par considérer *here:* I have come to consider
le mien mine
J'ai tâché de garder contenance I tried to keep my composure
lampadaire streetlight
ricanement snickering
ces histoires de sadiques *in effect:* with all the crazy people out there; *literally:* these stories of sadists
mieux vaut *here:* better to have
Je n'ai pu m'empêcher I couldn't keep from
apaisant calming
d'emblée right away
témoin witness
se perdra will be lost
je me suis révoltée I was outraged
songeant thinking
jette partout sa lumière casts its light everywhere
blafarde pale
débouché *here:* opportunity/outlet

de nettoyer les **rigoles avec ma houe**. Dans un instant, nous allions tourner à droite et grimper encore quelques mètres de prairie jusqu'à la maison…

À ce moment précis, mon regard **s'est figé** dans une grimace **ahurie**, devant un gigantesque **réverbère flambant neuf** planté **au bord de** la route, à l'**embranchement** de mon chemin.

Le **poteau** doit faire quinze mètres de haut ; la terre a été **remuée** tout autour et un **socle en béton**, **scellé** dans le sol, donne son assise au système d'**éclairage** public. **Éberluée**, **j'ai prié** le taxi de s'arrêter un instant. Dans un réflexe de propriétaire, je me suis demandé **de quel droit** on avait planté ce réverbère en mon absence, juste sous mes fenêtres, dans l'**axe** de la vue **plongeante** sur la vallée… Je me suis rappelé que l'embranchement du chemin que **j'ai fini par considérer** comme **le mien** (car je suis seule à l'emprunter) appartient à la commune, tout comme ce pré qui sépare la route de ma maison. **J'ai tâché de garder contenance** devant le chauffeur, qui s'est exclamé :

– Ils vous ont mis un beau **lampadaire**. Au moins vous y verrez quelque chose quand vous rentrerez chez vous !

– Vous êtes sérieux ? ai-je demandé dans un **ricanement** nerveux.

– Avec **ces histoires de sadiques**, **mieux vaut** un peu de lumière au bord des routes. Surtout pour une femme seule.

Je n'ai pu m'empêcher de répondre :

– Une femme n'est pas plus fragile qu'un homme !

Pourtant, sa réaction a produit un effet **apaisant**.

Je détestais **d'emblée** ce lampadaire, au beau milieu du paysage que je contemple plusieurs fois par jour en allant chercher mon bois. Or, le premier **témoin** interprétait positivement la catastrophe. Peut-être avait-il raison. D'ailleurs, les arbres sont nus à cette saison mais, dès le printemps, le réverbère **se perdra** dans la végétation du chemin.

Soudain, **je me suis révoltée** en **songeant** à cette lumière absurde devant ma terrasse. Depuis quelques années, le long des routes désertes et dans les plus paisibles coins de campagne, l'éclairage public **jette partout sa lumière blafarde**. Après avoir fini d'équiper les villes, les bourgs et les banlieues, les professionnels ont découvert ce nouveau ***débouché*** pour leurs activités et créé

tellement inutile so useless
qu'il leur fallait créer le besoin that they had to create the need
flattent flatter
écouler to sell
esprits simples simpletons
n'est pas épargné wasn't spared
ruelles small streets
je descends manger I go down to eat
vitrine de Noël the Christmas display in a shop window
évasée flared
J'avais…tort I was wrong
épargnée spared
appartenance belonging
me vaudrait d'être consultée would make me worth consulting
insulte à la poésie an insult to poetry
gommer to erase
polluer to pollute
semble avoir profité seemed to have taken advantage/made the most of
méchante nasty
j'ai franchi le portail I passed through the gate
L'unique enterprise communale The only business in town
commercialise sells
tracteurs à chenilles caterpillar tractors
camions de débardage dump trucks
outillage puissant *here:* heavy equipment
pratiquer une percée to clear an opening
tirer les grumes to pull out the logs
ornières ruts
friche fallow

artificiellement un *marché* – **tellement inutile qu'il leur fallait** ***créer le besoin***. Avec les méthodes propres à l'« esprit d'entreprise », ils **flattent** les maires pour **écouler** leur marchandise, tout en déployant un accompagnement idéologique (« sécurité », « modernité ») qui permet aux **esprits simples** de voir dans ces transformations une marque de progrès... Mon village **n'est pas épargné**, les réverbères ont envahi ses **ruelles** désertes. Quand **je descends manger** le soir, à l'auberge, j'ai l'impression de traverser une **vitrine de Noël** ; je ne peux plus marcher simplement près de la rivière en contemplant la ligne **évasée** des sommets, désormais vaporisée dans ce halo de lumière électrique.

J'avais seulement **tort** de me croire **épargnée**, d'imaginer que mon **appartenance** à une famille installée dans la région depuis plusieurs générations **me vaudrait d'être consultée**. Perchée dans ma demeure, j'observe à distance cet éclairage électrique, émergeant du village comme une **insulte à la poésie**. Vu d'ici, l'effet reste suffisamment lointain pour ne pas **gommer** les lignes de la vallée dans le soir, ni **polluer** les nuits enchantées de la montagne. Mais l'appel du progrès est irrésistible ; et la mairie **semble avoir profité** de mon dernier séjour à Paris pour planter ce nouveau réverbère, avec sa **méchante** lumière qui rappelle l'éclairage obligatoire des prisonniers et marque la fin de toute solitude, de toute liberté.

Lundi 28

Ce matin, **j'ai franchi le portail** de la société Votrengin. **L'unique entreprise communale commercialise** des véhicules destinés aux travaux forestiers. J'ai traversé le parking couvert de bull-dozers jaunes, de **tracteurs à chenilles** et de **camions de débardage**. Grâce à cet **outillage puissant**, les chemins n'ont plus besoin d'entretien ; il suffit de **pratiquer une percée** dans la végétation pour **tirer les grumes**, après quoi les **ornières** sont abandonnées et reprises par la **friche**.

J'ai traversé le garage au fond de la cour, salué d'un geste le gardien installé dans son petit local, avant de me diriger vers le bureau de la secrétaire :

incisives de lapin rabbit-like front teeth
également also
mince thin
façon campagnarde moderne qui a réussi in the manner of a modern, successful country person
mécontent annoyed
présentateur host
piques barbed comments
il a prétendu faire bituminer he had intended to pave
obtenu gain de cause won my case
souveraines sovereign
originaire native
a tranché en ma faveur ruled in my favor
gages pledges, guarantees
subventionné subsidized
éloignées distant
gâcher mess up
je ne tiens pas du tout à I don't care at all about
Personne d'autre No one else

– Je dois parler au maire, c'est urgent !

Ses **incisives de lapin** se sont découvertes dans un aimable sourire. Après m'avoir annoncée au téléphone, elle m'a fait entrer dans le bureau où le premier magistrat de la commune – **également** patron de cette entreprise – s'est avancé pour m'accueillir. Grand, **mince**, il portait son habituelle veste de golf, **façon campagnard moderne qui a réussi**. Comme sous l'effet d'une bonne surprise, il m'a demandé :

– Florence, comment allez-vous ?

Toujours le même petit jeu. Il n'est pas **mécontent** que j'habite ce village, surtout depuis que je l'ai invité à prendre un verre avec ce **présentateur** de télévision, il y a trois ans. Régulièrement, je lui envoie mes **piques** sur les travaux inutiles qui se multiplient. Je me suis indignée, le jour où **il a prétendu faire bitumer** mon chemin. J'ai **obtenu gain de cause**, mais le camp adverse est fort. Fascinés par le moindre signe extérieur de modernisation, certains membres du conseil municipal rêvent de transformer leur campagne en coin de banlieue. Ils ne comprennent pas mon point de vue et détestent que je m'oppose à leurs décisions **souveraines** (leur vision peu démocratique considère qu'il faut être **originaire** d'ici pour s'exprimer). Ils sont décidés à me faire entendre raison. Dans l'affaire du chemin bitumé, le maire **a tranché en ma faveur**. En plantant ce réverbère, vient-il de donner des **gages** à ses conseillers ?

– Pourquoi ne m'a-t-on pas prévenue ?

– Écoutez, Florence, c'est un programme voté par la commune et **subventionné** par le département : « Extension de l'éclairage urbain aux zones **éloignées** ».

– Comment ça, « zones éloignées » ?

– Il n'y a pas de raison que certains habitants, comme vous, parce qu'ils vivent à l'extérieur du village, ne bénéficient pas de l'éclairage urbain comme ceux du centre.

Au nom de l'égalité, on veut donc m'imposer un avantage qui va me **gâcher** la vie.

– Mais **je ne tiens pas du tout à** en bénéficier ! Ai-je demandé quelque chose ? **Personne d'autre** n'habite ce coin-là !

– Le conseil général considère que c'est une mission d'intérêt public !

conseil général France is divided into *départements* governed by a *conseil général*, *régions* governed by a *conseil régional*, and *communes*, governed by a *conseil municipal*. The nation is governed by the *Assemblée nationale*. Citizens are often confused as to who budgets what.
a paru embêté seemed annoyed
se fâcher to get angry
esquiver to dodge (the issue)
gage de sécurité security measure
hors de moi beside myself
Il a soupiré He sighed
s'il m'accordait une faveur if he were doing me a favor
vétuste worn-out, dilapidated
aménagement de la route du col development/expansion of the road to the summit
surcroît de transport routier excess truck traffic
travaux *here:* road construction
itinéraire bis alternate route
réclamer to complain about
surcroît de circulation extra/additional traffic
poids lourds tractor trailers, 18-wheelers
s'égrener to pass by
ça bouge *here:* this to happen
routiers truck drivers
à toute vitesse at top speed
crachant belching, spewing
Vous ne vous rendez pas compte Don't you realize

– Oui, le **conseil général**, et la direction de l'Équipement, et sûrement quelques entreprises derrière tout ça !

Le maire **a paru embêté**. En un sens, il n'aimerait pas **se fâcher** avec moi, mais il doit satisfaire ses électeurs. Il a préféré **esquiver** :

– Franchement, je suis surpris que vous vous fâchiez. Vous allez vous habituer très vite. Et puis, c'est un **gage de sécurité** !

Je n'ai pas l'habitude de crier, mais je me sentais **hors de moi** :

– Et pourquoi devrais-je m'habituer ? Pourquoi aurais-je besoin de lumière ? Et de quelle sécurité parlez-vous ?

Il a soupiré puis s'est assis avant de reprendre, sur un ton confidentiel, comme **s'il m'accordait une faveur** :

– Écoutez, Florence, je vais être clair. Vous savez que la SNCF va probablement fermer le tunnel ferroviaire des Mines pour rénovation !

– Et alors ?

– Il est devenu trop **vétuste**. La région a donc voté un **aménagement de la route du col** pour accueillir le **surcroît de transport routier**...

– Qu'est-ce que ça peut me faire ? C'est à quinze kilomètres d'ici !

– Oui, sauf que le col est déjà saturé, que les **travaux** prendront au moins cinq ans. Aussi, après délibération du conseil municipal, nous avons demandé le classement de notre départementale en **itinéraire bis** !

Je suis restée un instant silencieuse, me demandant par quelle perversion mentale on pouvait **réclamer** un **surcroît de circulation** ; puis j'ai compté en silence les **poids lourds** polonais qui vont bientôt **s'égrener** sous ma fenêtre :

– Vous êtes complètement fous ! Le maire a fait une grimace :

– Florence, vous voyez ça en Parisienne. Pensez aux gens d'ici : ils ont envie que **ça bouge** !

– Ah oui, je n'y avais pas pensé ! Des **routiers** qui bougent **à toute vitesse** en **crachant** leur fumée sur vos géraniums !

– **Vous ne vous rendez pas compte** ! Pour le commerce local, pour l'auberge, pour la connaissance de nos entreprises... Nous allons pouvoir ouvrir un second restaurant, aménager un parking.

La folie de l'entrepreneur s'était réveillée. Lui-même attendait

désenclavement "reduced isolation"
bout de a stretch of
aire autoroutière truck stop
pressé de fuir in a hurry to flee/run away
amorce are starting
enjeux stakes
sourire désolé disappointed smile
cris de haine cries of hatred
bassine d'eau pot of water
bouillonne boiled
couvercle lid, top
frétille quivering
adoucit *here:* alleviates
sécheresse dryness
ricanements sniggers
appareils appliances
usine factory
braise embers
sa fumée its smoke
conduits brûlants burning hot pipes/ducts
craquements cracking noises
grincements creaking noises
métal surchauffé overheated metal
locomotive à vapeur steam locomotive
louée par rented by
lancement the launch
sa nouvelle gamme its new line
roues wheels
bielles rods
prouesse feat
maîtrisant harnessing
démesure excess
efficaces efficient
nuages roses pink clouds

certainement beaucoup de ce « classement » qu'il qualifierait bientôt de « **désenclavement** ». Des dizaines de conducteurs de camions passeraient désormais chaque jour devant le siège de Votrengin, ce qui justifiait l'installation d'un éclairage public décent. La commune tout entière attendait avec enthousiasme cette nouvelle phase de développement : le *marché des camions qui traversent le village.* Selon ce plan grandiose, le petit **bout de** route départementale tranquille en dessous de chez moi devait se transformer en **aire autoroutière**.

Sans mon caractère accommodant, **pressé de fuir** les conflits qu'il **amorce**, je serais entrée en guerre ; sauf qu'à l'évidence les **enjeux** me dépassaient. Je me suis donc contentée d'un **sourire désolé**, presque compréhensif ; puis je suis rentrée chez moi par le cimetière en poussant des petits **cris de haine**.

Mardi 29

Sur la cuisinière à bois, une grande **bassine d'eau bouillonne** silencieusement. Je regarde la vapeur s'échapper du **couvercle** qui **frétille**. L'humidité chaude se répand dans la maison et **adoucit** la **sécheresse** du chauffage électrique. Assise devant le fourneau dans une vieille jupe paysanne, je regarde avec délectation ma machine à feu en songeant aux **ricanements** de mes collègues, comme à ceux des villageois équipés d'**appareils** plus modernes, qui se demanderaient avec raison : « À quoi elle joue ? » Pourtant, j'éprouve une véritable émotion devant cette cuisinière en fonte, cette **usine** qui convertit le bois en **braise**, puis envoie **sa fumée** dans les **conduits brûlants** avec des **craquements** et des **grincements** de **métal surchauffé**. Je me rappelle avoir admiré le spectacle d'une **locomotive à vapeur, louée par** une compagnie de parfums pour le **lancement** de sa **nouvelle gamme** « Pacific ». Fascinée par le mouvement articulé des **roues** et des **bielles** au milieu des jets de fumée, j'avais l'impression de redécouvrir la **prouesse** de l'homme moderne **maîtrisant** l'énergie. Les trains à grande vitesse n'ont plus cette **démesure** théâtrale. Ils sont simplement **efficaces**.

Passant de la cuisine à la salle à manger, j'aperçois les **nuages**

couchant sunset
au fond de at the bottom of
crêtes crests
sapins fir trees
épicéas spruces
dentelure lacing
au creux in the hollow
tuiles rouges red tiles
toits roofs
greniers à foin hay lofts
au grand air in the open air
Ce doit être It must be
odorant et frais sweet-smelling/fragrant and fresh
pré meadow
ajouté aux autres added to the others
jaunâtre yellowish
a brouillé blurred
aveuglé blinded
au premier plan in the foreground
gommé erased
clarté brightness
crue harsh
grossière coarse, rough, crass
au fur et à mesure que la nuit tombe as nightfall comes
vient d'acquérir just acquired
droit right
saccagée destroyed
circulation traffic
m'éblouir to dazzle me
briser break, shatter
narguer scorn
chochotte *in effect:* darling
agrément pleasure
rechigner balking
grelots tinkling sounds
supprimer *here:* cut down on
reflet reflection

roses du **couchant** posés comme un décor **au fond de** la vallée. La masse obscure des montagnes se découpe dans le bleu sombre du ciel avant la nuit. Sur la ligne d'horizon, les **crêtes** de **sapins** et d'**épicéas** dessinent une fine **dentelure**. Le hameau repose **au creux** du paysage, avec son clocher de **tuiles rouges**, ses énormes **toits** qui ne couvrent plus de **greniers à foin**. J'éprouve le bonheur de vivre ici, cette béatitude **au grand air** (« **Ce doit être** sexuel », dit un de mes bons amis). Je me sens heureuse dans ce théâtre **odorant et frais** quand, soudain, répondant à un ordre programmé, tous les réverbères de la commune s'illuminent simultanément ; et celui du **pré ajouté aux autres** vient jeter devant moi son halo de lumière **jaunâtre**.

En un instant, l'éclairage public **a brouillé** la jolie composition de nuages roses et la dentelure des forêts. Mon regard est **aveuglé** par cette lumière puissante **au premier plan**. Quand mes yeux s'échappent pour regarder ailleurs, chaque détail du paysage reste **gommé** par cette **clarté crue**, **grossière**, insensible aux nuances, de plus en plus présente, **au fur et à mesure que la nuit tombe**.

Un réverbère est planté devant moi. Une route déserte **vient d'acquérir** le **droit** à l'éclairage, dans le cadre d'un plan de développement local qui doit permettre à cette vallée d'être **saccagée** par la **circulation**. Le symbole du progrès se dresse tout seul, posé absurdement comme s'il n'existait que pour **m'éblouir**, **briser** l'enchantement et **narguer** la fausse paysanne qui croyait échapper aux lois de son époque. J'entends déjà les ricanements : « Pauvre **chochotte**, elle se lamente pour l'esthétique de sa résidence secondaire, pour l'**agrément** de sa vue, pour le confort de sa ligne de train, quand il y a tellement de sujets plus graves ! » Mais ces détails sont-ils vraiment négligeables ? Faut-il les accepter sans **rechigner**, sous prétexte qu'il existe des dégradations plus importantes ? J'en reste donc à mes questions minuscules :

« Pourquoi la lumière du réverbère me paraît-elle violente et intrusive quand le feu de bois me fait rêver ? Pourquoi un moteur de camion me paraît-il si fatigant quand j'aime écouter les **grelots** de la rivière ? »

Il me semble aussi qu'en plantant quelques sapins au bon endroit je pourrais **supprimer** le **reflet** sur la maison. Ne restera

Face à la menace qui grandit Faced with the growing menace
déploie exhibit
étroit défilé narow pass
rochers rocks
bruyères heathers
s'enfonce sinks into
salauds bastards
m'enlever take away from me
versant slope
bruissement murmuring
s'étagent rise in tiers
poudre de constellations sprinkling of constellations
gouttelettes droplets
rebondir sur bouncing onto
cailloux pebbles
Saisie par Seized by
glouglou gurgle
déchiffre decipher
liées à linked to
cependant yet, nevertheless
exclure to rule out
m'ennuie bores me
extase ecstasy
me saisit takes hold of me, comes over me
bruits de pas footsteps
frôlement rustling noise
seuil doorstep, threshold
pénombre half-light

plus que cette tache de lumière sur le pré. **Face à la menace qui grandit**, je **déploie** mes capacités d'adaptation. Retournant vers l'intérieur de la maison, je traverse la salle à manger et la cuisine ; puis j'ouvre la petite porte qui donne, côté nord, sur un **étroit défilé** plein de **rochers** et de **bruyères**. Ici, à l'opposé du village, nulle route, nulle trace d'éclairage public. Ce vallon encaissé **s'enfonce** au cœur du massif. Je m'assieds sur le banc en songeant que les **salauds** ne pourront pas **m'enlever** ce **versant**-là de la nuit ; ni ce **bruissement** continu du torrent, ni ces cônes de sapins et d'épicéas qui **s'étagent** vers le ciel étoilé. Je m'immobilise un instant dans l'obscurité fraîche en regardant la **poudre de constellations**, en écoutant les **gouttelettes** d'eau **rebondir sur** les **cailloux**. **Saisie par** un rire heureux, j'entends le **glouglou** du torrent comme une parole familière. Je regarde à nouveau le ciel où je **déchiffre** des idées suspendues, des phrases faites de lumière, de parfums, de sons ; des questions intimement **liées à** ma propre existence ; des notions que je ne saurais formuler, et **cependant** parfaitement claires dans la nuit qui me caresse et m'instruit.

Mercredi 30

Hier, assise sur mon banc, près du torrent, je me suis rappelé la remarque ironique d'un vieil ami : « Ce doit être sexuel ». Difficile d'**exclure** totalement cette hypothèse. Je suis un peu vieille et plus très jolie ; il me reste de beaux yeux et une austérité de protestante ; je fais l'amour rarement et cela **m'ennuie**. Peut-être que les sentiments d'**extase**, les émotions devant la nature, cette jubilation physique qui **me saisit** en regardant le ciel étoilé, ne sont qu'un phénomène hormonal, une poussée de désir détournée des organes pour se fixer sur le chant du ciel et l'eau du ruisseau qui rebondit en cascade…

– Tu es là ?

Une branche a craqué sur le sol. Je discerne des **bruits de pas**. Quand je suis seule à la maison, je m'inquiète parfois d'un simple **frôlement**. Hier soir, assise sur le **seuil** devant les étoiles, j'étais pourtant toute contente de voir apparaître dans la **pénombre** la

des environs from the area
chevelure hair
au bec hanging out of his mouth
ils ne m'ont pas loupée *here:* they haven't missed/overlooked me
gargouillis gurgle
atténuait lessened, mitigated
éprise de in love with
manque lack
bénir to bless
nous avons goûté we enjoyed
élevage de chèvres goat farm
subvention subsidy
vacanciers vacationers
appels d'offres requests/calls for bids
entrepôt *here:* exhibition building
bétail livestock
jouxtant *here:* adding, adjoining
fourrage fodder
tenter d'écouler to try to dispose of
détruite destroyed
exploitation enterprise
fibre paysanne country streak (in him)

silhouette de Grégory, un garçon **des environs** qui vient parfois me rendre visite. Il avançait, souriant, avec sa longue **chevelure** noire et ses vingt-trois ans, tenant dans la main gauche un pack de bières (je ne sais pas pourquoi, aujourd'hui, les jeunes ont toujours des packs de bières), et la cigarette **au bec**. Je me suis étonnée :

– Tu fumes en marchant, toi ?

C'était comme si je disais : « Je suis vraiment heureuse de te voir. » Il a ouvert ses grands yeux curieux pour remarquer :

– C'est monstrueux, ce réverbère en bas du chemin !

– La catastrophe de la semaine ! Cette fois, **ils ne m'ont pas loupée**.

Il s'est assis près de moi et nous sommes restés un moment sans rien dire, accompagnés par le **gargouillis** du ruisseau qui donnait au silence un ton rieur. J'étais ravie qu'un jeune villageois comprenne mon point de vue, ce qui **atténuait** mon ridicule de citadine **éprise de** nature. Apparemment nous partageons, Greg et moi, les mêmes préoccupations, la même révolte post-adolescente. Le **manque** de pragmatisme nous unit dans une vaine résistance aux réverbères. Les étoiles semblaient **bénir** cet instant et **nous avons goûté**, l'un près de l'autre, cette claire soirée de novembre.

Son père est employé à l'**élevage de chèvres** agro-touristique implanté par la mairie pour utiliser une **subvention** destinée à « revitaliser la vallée » tout en faisant découvrir aux **vacanciers** quelques aspects de « l'activité pastorale traditionnelle ». Des **appels d'offres** ont été lancés ; une subvention de 1 million d'euros a permis de bâtir le hideux **entrepôt** qui abrite le **bétail**, **jouxtant** d'autres bâtiments pour le **fourrage**, la transformation du lait en fromage, etc. À l'entrée du parking, une boutique vend des produits laitiers et des souvenirs de la vallée. Le plus souvent, cette zone commerciale reste déserte. Chaque jour, le père de Grégory vient s'occuper des bêtes et **tenter d'écouler** la production dont une partie est régulièrement **détruite**. On sent bien que cette occupation l'ennuie, contrairement à l'entretien des deux 4 x 4 à bord desquels il accomplit de frénétiques navettes, de sa maison jusqu'à l'**exploitation**, et vice-versa. Je le vois passer avec sa tête folle d'automobiliste pressé. Il n'a plus du tout la **fibre paysanne**.

Celle qu'il possède cependant le moins est la fibre artistique.

J'ai pu le constater I could attest to that
éprouvé felt
besoin inattendu unexpected need
relevait du mystère de la nature sprang/issued from the mystery of nature
foot = *football:* soccer
vedettes à paillettes tinseltown stars
stage de mécanique internship as a mechanic
vers lequel toward which
l'orientaient des spécialistes specialists were steering him
il s'est mis à he began to
proférer to utter/put forth
interpeller to heckle
gouache gouache, opaque watercolors
empruntés à borrowed from
college professionnel trade school
plateaux télé television stages/sets
jolies frimousses dear little faces
bougonnait grumbled, muttered
morgue arrogance
ignare ignoramus
gamins kids
prochain fellow man
ignorent don't know
citait quoted from
au coin du feu by the fireside
buvait soaked up

J'ai pu le constater quand son fils, âgé de quinze ans, a **éprouvé** le **besoin inattendu** de s'absorber dans la peinture et la poésie. Cette passion spontanée **relevait du mystère de la nature** ; car rien, vraiment, ne prédisposait Grégory à s'intéresser à autre chose qu'aux carburateurs et au championnat de **foot**. Des artistes il ne connaissait que les **vedettes à paillettes** et les animateurs de télé-réalité. Pourtant, au lieu de suivre consciencieusement le **stage de mécanique vers lequel l'orientaient des spécialistes, il s'est mis à proférer** des idées bizarres, à **interpeller** ses parents avec des poèmes dadaïstes (révélés par un professeur de français), à s'acheter du papier et de la **gouache** pour peindre la vallée dans des tonalités étranges, à écouter toute la nuit dans sa chambre des disques de Varèse et de Miles Davis **empruntés à** la médiathèque de la ville voisine, avant de se lever fatigué et de rejoindre le **collège professionnel** où ses résultats n'étaient pas brillants.

La mère n'aurait pas détesté que Grégory s'impose sur les **plateaux télé** où de jeunes chanteurs et de jeunes acteurs s'expriment avec leurs **jolies frimousses**. Elle supposait que tout le monde avait sa chance à ce jeu-là. Sauf que Greg ne parlait pas de la Star Academy, mais prononçait des noms étranges comme Picabia, Michaux, Messiaen... D'après le dictionnaire, ces artistes jouissaient d'une certaine gloire qui n'avait certes pas encore atteint la télévision ; mais le père **bougonnait** furieusement, vexé par la **morgue** de son fils, qui le regardait comme un **ignare**.

C'est à cette époque que Grégory a débarqué pour la première fois chez moi. Je le connaissais vaguement, parmi les **gamins** du village. Un jour, il a frappé à ma porte, comme si ses pas devaient le conduire ici. Avait-il remarqué mon sourire bienveillant plein d'indifférence, ce parfait mensonge qui me rapproche de mon **prochain** ? En tout cas j'ai vite apprécié sa curiosité, si rare chez les adolescents qui, généralement, ne montrent aucun intérêt pour ce qu'ils **ignorent** et préfèrent vous expliquer le peu qu'ils viennent de découvrir. Greg n'était pas ainsi. Passant d'un livre à l'autre, dans une touchante confusion campagnarde, il **citait** pêle-mêle Rimbaud et le général de Gaulle dont il avait trouvé les Mémoires chez un oncle. Nous parlions **au coin du feu**. Il me posait des questions sur Paris, sur le monde artistique. Il **buvait** mes réponses avec cette

candeur guilelessness
drame éclata (family) drama erupted
toute velléité créatrice all the creative whims
fiévreusement feverishly
épouvantable appalling, dreadful
le traita called him
bon à rien good for nothing
paresseux lazy
tantouze closet homosexual
grossier coarse, crude
carabine rifle
fait divers news briefs
vivres support
tout ce beau monde the whole kit and caboodle
confiant son sort spilling his guts
apaisement calm, soothing reassurances
ménage household
céda gave in/yielded to
pression pressure
buté stubborn
écœurée nauseated
étriquée narrow-minded
l'agaçaient pestered/irritated/aggravated him
en lui prêtant lending him
méfiant suspicious
détourner to hijack
Il n'avait plus à s'inquiéter He had nothing more to worry about
bienveillante kindly
exiger demanding, requiring
désapprentissage unlearning
gaspiller to waste
informe shapeless
négligés slovenly

candeur que j'avais perdue à Paris mais que je manifestais moi-même ici, devant les cascades et les fermes de montagne.

Un beau matin, il annonça à sa famille qu'il voulait arrêter la mécanique pour les Beaux-Arts et le **drame éclata** : un vrai drame du XIXe siècle. En un temps où la plupart des parents encouragent **toute velléité créatrice** de leur progéniture, en cette époque **fiévreusement** amie des arts, le projet de Grégory fit l'effet d'un **épouvantable** scandale. Son père **le traita de bon à rien**, de **paresseux**, de **tantouze**, de drogué, et, comme le fils répliquait qu'il était lui-même idiot et **grossier**, l'éleveur de chèvres alla chercher sa **carabine**, point culminant d'une scène près de verser dans le **fait divers**... La mère en larmes interrompit l'altercation ; le père et le fils cessèrent de se parler ; la menace de « couper les **vivres** » se substitua aux menaces physiques. Finalement, une cousine qui avait de l'influence envoya **tout ce beau monde** consulter un *psychologue*. Alors, une espèce de miracle moderne s'accomplit, chacun **confiant son sort** au spécialiste des rapports humains, qui apporta l'**apaisement** dans le **ménage**. Le père **céda** devant la **pression**, et Grégory partit étudier la peinture dans la capitale régionale.

J'aurais pu admirer cette attitude archaïque des parents, la défense du vrai travail contre une improbable rêverie artistique. Par son refus **buté**, le père obligeait son fils à prouver sa volonté et son talent... Pourtant, devant le destin de Greg, je retrouvais mon tempérament d'adolescente **écœurée** par une norme sociale **étriquée.** Quand ses parents **l'agaçaient** trop, il se réfugiait chez moi et je l'encourageais **en lui prêtant** d'autres livres. À l'auberge ou à la pharmacie, le père me regardait d'un œil **méfiant** comme si je voulais **détourner** son gamin, l'inciter à la paresse en lui promettant une vie trop facile. **Il n'avait plus à s'inquiéter**, car la société **bienveillante** avait déjà pris en charge Grégory en le poussant dans ses ambitions artistiques, sans **exiger** de lui la formation rigoureuse qu'il aurait mérité de recevoir.

Un **désapprentissage** méthodique des techniques de dessin lui a rapidement permis de **gaspiller** le talent manifesté dans ses premiers paysages pour y substituer des jets de peinture **informes** et **négligés.** Un professeur l'a persuadé de reprendre son éducation à

crever la toile tear the canvas
aménager *here:* to set up
démentiels outrageous
ruminer ruminate
ville moyenne mid-sized city
obscurantisme obscurantism, opposition to the spread of knowledge
classes aisées well-off classes
galérer to struggle/work hard
auraient dû lui valoir should have earned him
au chômage unemployed
frimousse sweet little face
boîtes de conserve tin cans
percées pierced
accrochées à hung
fils de pêche fishing line
peinturlurées daubed with paint
a fini par développer ended up developing
rejeton offspring
Il commençait à faire froid It was starting to get cold
fronde slingshot
rebord edge
cheminée mantlepiece
bûches de hêtre beech logs

la base, en oubliant la notion de représentation pour assimiler un vocabulaire nouveau, fondé sur le *concept*. Grégory a passé trois ans dans cette école, découvrant tout ce qu'on peut imaginer comme façon de **crever la toile**, d'**aménager** une installation, d'exposer des objets banals accompagnés de textes sophistiqués, de fixer des prix **démentiels** aux premiers travaux qu'il exposait dans une galerie d'élèves... tout cela pour obtenir son diplôme et **ruminer** enfin, dans la **ville moyenne** où il demeure, contre l'**obscurantisme** des **classes aisées** qui ne passent pas leur temps à acheter ses travaux ; pour dénoncer l'injustice sociale qui l'oblige à **galérer** et la médiocrité d'un monde où ses performances artistiques **auraient dû lui valoir** fortune et célébrité.

À vingt-trois ans, Grégory vit dans la bohème provinciale des artistes **au chômage**. Il donne quelques cours, boit un peu trop et revient passer quelques week-ends qui me permettent de voir apparaître, au bout du chemin, sa **frimousse** encore adolescente. Comme il est fin et délicat, il peint encore, pour le plaisir, ces paysages que j'aime et que je lui achète de temps à autre. Dans le même temps, la maison de ses parents est devenue un entrepôt des horreurs : **boîtes de conserve percées accrochées à** des **fils de pêche**, photos de famille **peinturlurées**, monochromes de toutes les couleurs, et autres provocations dépassées depuis longtemps par l'histoire – sauf pour son père, l'éleveur de chèvres qui, aidé par le psychologue, **a fini par développer** une véritable admiration pour le talent de son **rejeton** et parle avec ferveur de ses dernières créations.

Mercredi soir

Ce moment avec Grégory était très pur, très beau.

Il commençait à faire froid quand nous sommes entrés dans la maison. Après avoir bu une première bière, il a saisi la **fronde** posée sur le **rebord** de la **cheminée**. À quinze ans, il ne sortait jamais sans cette arme primitive. Un jour, il l'avait oubliée ici.

Devant les **bûches de hêtre** qui brûlaient, il m'a regardée en disant :

va émerveiller ton regard will amaze you/dazzle your eyes
glisser sliding into
fourré thicket
éclabousse splashes, spatters
se penche bends down
tireur marksman
bander son arc to draw back his bow
il tend he pulls back
il lâche sa main droite he lets his right hand drop
gênée uneasy
mènera l'enquête will conduct an inquiry
n'a pas de sens doesn't make sense
troublant disrupting, disturbing
Ayant brisé Having crushed/stopped
liguées *here:* marshaled
décapsuler *here:* pop open, take the cap off
crêtes crests
échevelés disheveled
déplumés plucked; *here:* defoliated
enfoui buried
tapis de feuilles carpets of leaves
sangliers wild boars
parfums scents
tournent stir
scintillent sparkle
bribes snatches, snippets

– Je vais accomplir pour toi une œuvre contemporaine !
– C'est un genre particulier ?
– Oui, je vais t'offrir une impeccable création *conceptuelle.*
Il disait ces mots avec ironie. J'ai répliqué sur le même ton :
– Tu sais que j'aime les objets, pas les concepts !
– Cette fois, tu comprendras. Ma performance **va émerveiller ton regard**. Elle s'intitule : « Retour de la nuit sur le pré de la maison ».

Ayant dit ces mots, Greg se lève et ouvre la porte de la terrasse. Je le vois **glisser** dans un **fourré**, puis sa silhouette réapparaît un peu plus bas, près du réverbère illuminé qui **éclabousse** le pré de sa lumière banlieusarde. Il **se penche** vers le sol, cherche quelque chose ; son corps prend la position athlétique du **tireur** en train de **bander son arc** ; **il tend** sa fronde en direction de l'éclairage public. Soudain, **il lâche sa main droite**, j'entends un bruit sec et, presque aussitôt, l'éclaboussure blanche disparaît. Immédiatement je retrouve le ciel étoilé, le dessin de la vallée et la ligne sombre des montagnes à l'horizon : une nuit sans réverbère, miraculeusement et illégalement rétablie par la fronde de Grégory qui remonte dans les fourrés en me demandant :
– Qu'en penses-tu ?

Je suis à la fois heureuse et un peu **gênée**. Demain, la municipalité **mènera l'enquête** et rallumera sa lanterne. Tout cela **n'a pas de sens**, sauf la présence de ce jeune homme qui enchante une femme vieillissante. En **troublant** ma solitude de fausse campagnarde, il me rappelle que la vie est en jeu. **Ayant brisé** pour un instant les forces **liguées** contre la beauté, Greg va **décapsuler** une nouvelle bière et revient près de moi sous les étoiles.

La dentelure des sapins se dessine à nouveau sur les **crêtes**. Quelques conifères plus grands que les autres dépassent la ligne des forêts, légèrement **échevelés**, **déplumés** par le vent mais encore dignes avec leurs grands bras. Ils me lancent des appels et j'entends ce message **enfoui** jusqu'aux sous-bois, dans les **tapis de feuilles** où se cachent les **sangliers**… Je ne crois pas que ce soit une question sexuelle. Ce soir, une qualité particulière de l'air me caresse la peau et me dit que je suis vivante. Les **parfums** qui **tournent** me racontent des histoires ; les étoiles **scintillent** comme une langue étrangère dont je ne comprends que certaines **bribes** mais dont la

froissements rustlings
s'agrègent are added
signaux signals
polyphonie polyphony
peur glacée icy fear
bouché overcast
renard fox
traînant dragging
queue tail
flânait strolled
tintement ringing, chiming
ruisseaux streams
rosée dew
extase ecstasy
excitation excitement
s'est éteint was extinguished

totalité me réjouit. J'écoute cet accompagnement sonore fait de rythmes liquides et de **froissements** de vent dans les branches, auxquels **s'agrègent** d'autres **signaux**, dans une **polyphonie** très savante et simple à la fois. J'entends cet écho, là-bas, qui résonne et se perd au fond du défilé, dans le désordre du torrent, jusqu'au ravin où la nuit parfois prend la forme d'une menace noire, d'une **peur glacée**, d'une vraie terreur sous le ciel **bouché**.

Tout à l'heure, un **renard** est passé devant ma fenêtre. Il ne me voyait pas et traversait le chemin d'un pas tranquille, **traînant** sa longue **queue** hésitante. Il prenait son temps, **flânait** comme un vagabond avant de s'interrompre un instant, et je me suis demandé s'il écoutait lui aussi le **tintement** des **ruisseaux**, s'il regardait les étoiles et s'il appréciait la caresse de la **rosée**... Je pourrais qualifier de jubilation ce sentiment différent de l'**extase** ou de l'**excitation** ; ce bonheur que j'éprouve au cœur de la nuit sous le ciel clair, avec ce garçon près de moi, en regardant ce paysage où le réverbère public **s'est éteint**.

Décembre

mer Égée Aegean Sea
hydroglisseur hydrofoil
bondissait leaped, bounded
falaises cliffs
récifs reefs
couverts de pins covered with pine trees
flots waves
chèvres goats
broutant nibbling, grazing
arbustes shrubs
elles semblaient jouir pleinement they seemed to be totally enjoying
quel sens what meaning
embarquer sail
paquebot cruise ship
passerelles gangways
Pirée Piraeus
soucoupe volante flying saucer
habitacle cockpit
clos closed
accrochés hung
émissions de télé-achat teleshopping programs
de tels of such
entraînait brought about, led to
navires ships
coûteux costly
pas assez pressés not in enough of a hurry
fendre to slice through
soucoupe bondissante bouncing saucer
remisait relegated
au rayon des antiquités on the shelf with the antiquities
se bousculaient were jostling
j'avais toujours cru à I had always believed in
avec ce qu'elle apporte de with what it brought in the way of
j'effectuais I made

Samedi 3

Au mois de mai, je suis allée passer quelques jours à Hydra, une petite île de la **mer Égée**. L'**hydroglisseur bondissait** le long des **falaises** rouges du Péloponnèse. Des **récifs couverts de pins** émergeaient des **flots**. En regardant plus attentivement, j'ai distingué plusieurs **chèvres broutant** les **arbustes** au soleil déclinant ; **elles semblaient jouir pleinement** de leur condition, et je me demandais **quel sens** donner exactement à l'adjectif « moderne ».

Comme lors de mon précédent voyage à Hydra, j'avais espéré **embarquer** sur un **paquebot** finement dessiné, avec ses ponts et ses **passerelles** ; mais au port du **Pirée**, sans me laisser le choix, on m'avait poussé vers ce *Flying Dolphin*, un hydroglisseur nerveux qui ressemblait à une **soucoupe volante**, avec son **habitacle** entièrement **clos**. À l'intérieur, des postes de télévision **accrochés** au-dessus des têtes permettaient de suivre des **émissions de télé-achat** en oubliant la succession des îles grecques. D'un certain point de vue, le *Flying Dolphin* était plus *moderne* que le paquebot ; en tout cas, il allait plus vite et portait un nom anglais. La mise en service **de tels** hydroglisseurs sur les lignes intérieures **entraînait** progressivement la disparition des anciens **navires**, trop **coûteux** en personnel et **pas assez pressés** de **fendre** la mer. Notre **soucoupe bondissante remisait** les grands bateaux **au rayon des antiquités** et les idées **se bousculaient** dans ma tête, puisque **j'avais toujours cru à** une certaine noblesse de la « modernité », **avec ce qu'elle apporte de** progrès, d'émancipation, d'enrichissement de l'existence. Or précisément, si **j'effectuais** cette comparaison, il me semblait que le vieux paquebot apportait les sensations les plus

rêverie daydream
temps gagné time saved
En somme In sum
tient...dans is tantamount to
l'inédit the new
en prêtant à by giving
trouvaille dernier cri a find (that is) the latest thing/fashion
bakélite Bakelite®, a plastic or synthetic resin used to make jewelry, telephone sets, and other items in the 1930s
sonore *here:* sound
parasites static, signal breakup
au moins provisoirement at least temporarily
apportant bringing
en pleine rue in the middle of the street
hypermarché large supermarket
chariot grocery cart
avant d'errer dans des allées before wandering through the aisles
empestent reek/stink of
recul setback
agrément charm, attractiveness
par rapport à in relation to
étal stall
petit commerçant small shopkeeper
stade stage
épanouissement humain *in effect:* blossoming of the human race
cesser cease
fierté *here:* claim to fame
J'ose I dare
paquebot cruise ship
propice favorable
dont toute la vertu *in effect:* whose sole virtue
vitesse speed
résume epitomizes, typifies
pressée hurried
recul *here:* retreat (from), decline
à dos d'âne on the back of a donkey
mulet mule
réglementation regulation
propriétaires property owners
villégiature vacation/holiday resort
autochtones natives
se sentent feel
bouge moves
sillonnée crisscrossed

riches, une perspective de **rêverie** et de liberté. Le *Flying Dolphin* ne marquait un progrès que pour le **temps gagné** (deux heures au lieu de cinq).

En somme, si la modernité **tient** entièrement **dans** l'innovation technique, si sa principale valeur réside dans **l'inédit**, alors il faut éviter de l'idéaliser **en prêtant à** ce mot une valeur morale. On pourrait même être anti-moderne, chaque fois qu'une **trouvaille dernier cri** apporte, en fait, une régression des conditions de confort, de méditation ou de plaisir – ce qui arrive assez souvent. Par exemple, bien qu'un téléphone mobile soit apparemment plus « moderne » qu'un téléphone fixe en **bakélite**, la qualité **sonore** de la conversation reste très inférieure (**parasites**, interruptions continuelles...). De ce point de vue, la « modernité » marque – **au moins provisoirement** – une *régression* tout en **apportant** certains avantages, comme de pouvoir téléphoner **en pleine rue** ou d'être contacté par son employeur au milieu d'une promenade en forêt. De même l'**hypermarché** où l'on se rend en voiture, où l'on va chercher son **chariot** sur un parking **avant d'errer dans des allées** qui **empestent** le désinfectant, représente un progrès (pour le choix, les prix, la rapidité) mais aussi un **recul** (pour la qualité, l'**agrément**, la proximité), **par rapport à** l'**étal** du **petit commerçant**.

Si l'on envisage au contraire la modernité comme une notion quasi morale, correspondant au **stade** le plus élevé et le plus favorable à l'**épanouissement humain**, alors il faut **cesser** d'attribuer le qualificatif « moderne » à n'importe quel gadget dont la seule **fierté** est d'être récent. **J'ose** même trouver le vieux **paquebot** plus « moderne » que le *Flying Dolphin,* puisque plus **propice** à la contemplation, à la sensation de l'espace et du temps – quand l'hydroglisseur, **dont toute la vertu** se concentre dans la **vitesse**, **résume** une vision mercantile et **pressée** de l'humanité nouvelle qui marque un **recul** de la modernité idéale.

À Hydra, la circulation des voitures est totalement interdite. Tout se passe en bateau, **à dos d'âne** ou de **mulet**. Cette **réglementation**, imposée par les riches **propriétaires** de l'île pour préserver leur **villégiature**, met en rage une bonne partie des **autochtones**, qui **se sentent** exclus du monde qui ***bouge***. Ils préféreraient voir leur terre **sillonnée** par de vraies routes ; ils rêvent

vendre à prix d'or *in effect:* to sell for a fortune
terrains land
pousseraient des lotissements touristiques tourist developments would spring up
voirie highway department
chiffre d'affaires revenues
des plus fortunés the more affluent/well off
au coin des rues on street corners
Frustrés Frustrated
ne voient rien d'autre que don't see anything but
clinquant flashy
excitation excitement
rêve banlieusard suburbanite dream
De mon côté For my part
je songe I dream
jouissance pleasure
au bout du compte in the final analysis
miroitement shimmer
ponton pontoon
une vingtaine about twenty
parvenaient à managed to, succeeded in
se serrer to squeeze in
suivaient sur des écrans le télé-achat watched teleshopping on (TV) screens
Écrasés Crushed
chaleur heat
flots bleus langoureux languorous blue waves
en pleine figure full in the face
eau salée salt water
vacarme du moteur din/racket of the motor
brouter to graze
chemin à pic a steep path
dédaigneux disdainful
tendre la langue stick out their tongues
appétissantes appetizing, tempting

de faire tourner des moteurs, de **vendre à prix d'or** leurs **terrains** en bord de mer où **pousseraient des lotissements touristiques**, de développer le commerce et la **voirie**... bref, de *moderniser* cette île dans le sens de la vitesse, de l'industrie touristique et de l'augmentation du **chiffre d'affaires.** On comprend leur ambition et leur jalousie face à une réglementation imposée pour le confort **des plus fortunés.** Mais comment imaginer quelque chose de plus moderne – dans le sens de la sophistication et de l'art de vivre – que cette île improbable où l'on n'entend aucune voiture, où les chats et les ânes vous parlent **au coin des rues** ? Ce qui n'empêche pas, d'ailleurs, d'y regarder la télévision ni d'y passer des coups de téléphone.

Frustrés par l'eau et par le soleil, victimes d'un ennui mortel, les habitants d'Hydra **ne voient rien d'autre que** les habits **clinquants** de la modernité, l'**excitation** des affaires et le **rêve banlieusard** de l'humanité. **De mon côté, je songe** que la modernité la plus radicale doit être celle d'Épicure, persuadé que, si la vie doit apporter le maximum de **jouissance**, il n'existe pas, **au bout du compte**, de plus grande jouissance qu'un verre d'eau et un rayon de soleil.

De telles idées me traversaient l'esprit pendant que j'observais ces chèvres sur les rochers, dans le **miroitement** de la mer au couchant. J'avais fini par me réfugier à l'arrière du *Flying Dolphin*, sur le minuscule **ponton** où **une vingtaine** de passagers **parvenaient à se serrer** pour apercevoir les îles – tandis que les autres, à l'intérieur, **suivaient sur des écrans le télé-achat. Écrasés** les uns contre les autres dans la **chaleur** humide, nous étions heureux de contempler les **flots bleus langoureux**, de recevoir **en pleine figure** quelques gouttelettes d'**eau salée**, bien qu'il fût impossible de parler, dans le **vacarme du moteur** qui envoyait sur nous sa fumée noire ; et je ne voyais rien de plus *moderne* que ces chèvres en train de **brouter** dans la mer Égée, choisissant précisément leurs arbustes sur un **chemin à pic** au-dessus des flots, jetant vers notre bruyant navire un regard **dédaigneux**, avant de **tendre la langue** vers les feuilles les plus **appétissantes.**

collines hills
réduire *here:* to scale back
augmenter les tarifs to raise (ticket) prices
lancer to introduce, launch
ne cherchaient pas à weren't looking/trying to
tirer de l'espace un bénéfice maximum make/extract the maximum profit from the space
tarif kilométrique unique one price per kilometer
quels que soient whatever
localisation location
ses moyens their means
couchettes train cars with compartments containing bunk beds
wagons-lits train cars with private sleeping quarters
ingénieurs engineers
desservir to serve
postes de garde-barrière railroad-crossing gate
attraper to catch
de me tromper *here:* of being mistaken/having it wrong
s'étirait *here:* was arrayed
à deux étages *here:* doubledecker; *literally*: with two floors
convoi train
panneau d'affichage *here:* schedule board
formel definite, explicit, categorical
Chelles...Noisy-le-Sec well-to-do townships near Paris, served by modern, efficient trains, unlike the city of Nancy, which is still served by antiquated equipment
bel et bien indeed
agrémentés embellished
lourdement endettée heavily in debt
lignes à grande vitesse high-speed train lines
freiner to curb
rames trains
état de fonctionnement working condition
diminue is decreasing
Dépassée Overwhelmed, Outdone

Lundi 5

Nous venons de passer Bar-le-Duc et les **collines** de la Meuse. De retour à Paris dans moins de deux heures, je m'interroge sur la modernité de la SNCF, devenue machine à **réduire** le réseau, à **augmenter les tarifs**, à limiter les plaisirs du voyage, à **lancer** des produits neufs, rapides et performants. On peut trouver plus « modernes » les trains d'autrefois, avec leurs amples voitures qui **ne cherchaient pas à tirer de l'espace un bénéfice maximum** ; avec leur **tarif kilométrique unique** pour toute la population, **quels que soient** sa **localisation** et **ses moyens** (un égalitarisme vraiment audacieux, vu d'aujourd'hui) ; et cette liberté qu'offraient les chemins de fer de voyager en lisant, en fumant, en mangeant au restaurant, en dormant dans des **couchettes** ou des **wagons-lits** (eux aussi en voie de disparition) ; ou encore ce sens extraordinaire de l'organisation qui poussait les **ingénieurs** à quadriller le territoire, à **desservir** chaque village, à implanter partout des gares et des **postes de garde-barrière** comme s'ils avaient prévu, un siècle trop tôt, que notre monde succomberait sous la folie des transports... Aujourd'hui, tandis que le monde succombe, ce réseau ferroviaire tombe lui-même en décrépitude et les autorails de province se transforment en trains du tiers-monde.

Même les grandes lignes sont affectées. Voici deux ans, j'arrivais gare de l'Est pour **attraper** le rapide Paris-Nancy. Or, en avançant sur le quai, ce jour-là, j'ai eu d'abord l'impression **de me tromper**. À la place de l'habituel Corail **s'étirait** une sorte de train de banlieue **à deux étages**. Ne pouvant imaginer qu'il s'agissait de la liaison régulière entre Paris et une grande ville, je suis restée d'abord hésitante devant le **convoi** qui s'apprêtait à partir ; puis je suis retournée voir le **panneau d'affichage** qui semblait **formel** : ce véhicule n'allait pas à **Chelles** ni à **Noisy-le-Sec**, mais **bel et bien** à Nancy ! Un contrôleur à l'entrée du quai me l'a confirmé en quelques mots **agrémentés** d'une explication : **lourdement endettée** par les investissements des **lignes à grande vitesse**, la Société nationale des chemins de fer se voit contrainte de **freiner** le renouvellement des trains traditionnels sur le réseau de province. Le nombre de **rames** en **état de fonctionnement diminue**. **Dépassée**

exiguïté *here:* cramped conditions
inconfort discomfort
saleté filthiness, dirtiness
tant bien que mal somehow
qu'il s'agit réellement it was really/in reality
jumeau twin/double/same thing
réseau express régional better known as RER, the commuter rail service that serves Paris and the greater Paris area. While some commuters use it only within the city limits, it brings passengers to and from distant suburbs. It is run by the SNCF.
bas de plafond (with a) low ceiling
coffres à bagages (overhead) luggage compartments/bins
accrochés hung, installed
étroits narrow, cramped
déréglé unbalanced
gestionnaires administrators, managers
polarisés focused on, obsessed with
une idée pareille such an idea
hâtivement hurriedly, hastily
faire passer l'arnaque to pull off the scam/swindle
tapissés covered
moquette carpet
puante stinking, foul-smelling
détériorée worn out
déroger *here:* departing (from)
remplissage maximum maximum occupancy
doit disposer *here:* has to make do (with)
entassé crowded/crammed (into)
exigu cramped, confined
médiocrité des matériaux poor quality of the materials (they are made of)
tôles jamais lavées metal sidings never washed
se dégradent deteriorate
dresser to put up

par la situation, la compagnie a mis en circulation ces véhicules d'un genre nouveau : des *pseudo-trains de grande ligne* qui comportent encore deux classes, mais portent déjà toute la misère du train déclassé.

Voyage après voyage, je m'y suis habituée. Le train de banlieue déguisé en grande-ligne applique une découverte essentielle de l'économie moderne : à savoir que l'**exiguïté**, l'**inconfort** et la **saleté**, tolérés **tant bien que mal** dans les transports de proximité, peuvent également devenir la règle pour les voyageurs qui se déplacent d'une région à l'autre. Ce pseudo-train rapide présente tous les inconvénients du train de banlieue, pour la simple raison **qu'il s'agit *réellement*** d'un train de banlieue, **jumeau** de ceux qui circulent en Île-de-France sur le **réseau express régional**. Aux heures d'affluence, ses deux étages permettent d'entasser un maximum de passagers dans un espace étroit, **bas de plafond**, où quelques **coffres à bagages** ont été **accrochés**, trop **étroits** d'ailleurs pour accueillir une valise, puisque cet espace n'y était pas destiné.

Seul l'esprit **déréglé** des **gestionnaires** – entièrement **polarisés** sur le chiffre d'affaires – a pu concevoir **une idée pareille** : transformer **hâtivement** le train de travailleurs en train de voyageurs. Pour **faire passer l'arnaque**, la SNCF a donc cherché comment déguiser ces rames en voitures de grandes lignes. Contrairement aux trains de banlieue officiels, les deux étages sont **tapissés** d'une **moquette** médiocre, **puante** et vite **détériorée**. Des fauteuils vaguement plus confortables ont été fixés en première classe – sans toutefois **déroger** au principe de **remplissage maximum**. Selon cette loi générale de la modernisation des transports qu'on peut qualifier de « régression de classe », un passager de première **doit disposer** aujourd'hui de l'espace dont bénéficiait hier un passager de seconde (lui-même **entassé** dans un espace de plus en plus **exigu** ; on parle désormais de les faire voyager debout dans certains avions). Le même principe régressif s'applique à chaque nouvelle réforme.

L'extrême saleté du pseudo-train de grande ligne est liée au manque d'entretien mais aussi à la **médiocrité des matériaux** : saleté extérieure des **tôles jamais lavées** ; saleté des vitres qui **se dégradent** comme un mauvais plastique pour **dresser**, entre le

voile flou blurred/fuzzy veil
rayures streaks
poubelles souvent pleines trash cans frequently full
sol négligé neglected floor
appuie-tête noircis blackened headrests
hors d'usage out of order
s'être débarrassée getting rid of
entreprises sous-traitantes subcontractors
y compris including
prophylaxie prophylaxis, measures designed to preserve health
suppression définitive permanent abolition/elimination
espaces fumeurs All smoking has been abolished on French trains. The ban also presently extends to all public indoor areas; bars and restaurants will have to comply starting in 2008.
cendriers ashtrays
délabré dilapidated
but goal, aim, purpose
arracher to pull/rip out
accoudoirs armrests
trou béant gaping hole
enquêtes surveys
soulignaient emphasized
gêne croissante growing discomfort
supporte tolerates, puts up with
réclameraient would object to/protest against/complain about
privation deprivation/loss of
toxicomanes dégénérés degenerate drug addicts
irrespirables stifling, oppressive, unbreathable
souriants porte-parole smiling spokespersons
irréductibles *here:* die-hards
l'interdit forbids it
années quatre-vingt-dix the 1990s
calquer to copy
compagnies aériennes airlines
philosophe athénien Athenian philosopher
à terme eventually

passager et le monde, un **voile flou** couvert de **rayures** ; saleté intérieure des voitures aux **poubelles souvent pleines**, au **sol négligé**, aux **appuie-tête noircis**, aux toilettes **hors d'usage**. Des contrôleurs me le confirment à chaque voyage : après **s'être débarrassée** de son personnel d'entretien, la SNCF réduit le budget des **entreprises sous-traitantes** – en commençant par les lignes jugées insuffisamment rentables. Les rames ne sont plus nettoyées systématiquement. Tous les arguments sont mis à contribution pour augmenter les économies, **y compris** la **prophylaxie** : au nom de la santé publique, la SNCF a ainsi programmé la **suppression définitive** des **espaces fumeurs**, ce qui permet de simplifier le nettoyage et l'entretien des **cendriers** ; mesure qui renforce le côté **délabré** des vieux trains puisque – toujours dans le **but** de réduire les coûts – on s'est contenté d'**arracher** les cendriers en métal des **accoudoirs**, dans lesquels subsiste un **trou béant** noirci par les émanations de tabac.

Pour justifier ces économies, la SNCF s'est appuyée d'abord sur des **enquêtes** qui **soulignaient** la **gêne croissante** des passagers, même très éloignés de l'espace fumeurs (il est vrai que le non-fumeur **supporte** de plus en plus mal l'existence de la cigarette). On a ensuite invoqué la *volonté des fumeurs* qui **réclameraient** eux-mêmes la **privation** de tabac, tels des **toxicomanes dégénérés** implorant le soutien de la puissance publique (la SNCF avait insidieusement préparé le terrain en réduisant la surface des zones fumeurs jusqu'à les rendre presque **irrespirables**). Pour couronner le tout, de **souriants porte-parole** de l'entreprise ont assuré que les **irréductibles** pourraient désormais fumer leur cigarette *sur le quai* – quand bien même la réglementation des lieux publics **l'interdit**.

Ces mesures se rattachent en fait, comme le reste, à la rationalisation du système de réservations. Tout remonte au début des **années quatre-vingt-dix**, quand la Société nationale des chemins de fer, sous prétexte de moderniser son réseau informatique, a choisi de **calquer** son fonctionnement sur celui des **compagnies aériennes**. D'où l'achat du logiciel « Socrate » à la compagnie American Airlines – le nom du **philosophe athénien** n'étant qu'une abréviation de *Système Offrant à la Clientèle des Réservations d'Affaires et de Tourisme en Europe.* Ce système de réservation obligatoire doit permettre **à terme** – comme dans les airs – de

à moitié vides half empty
transvaser *here:* to dump (passengers)
à moitié pleins half full
places vacantes empty seats
répartition distribution
bourrage stuffing, cramming
coquille shell
grimper *here:* to jump on the train/climb aboard
espère...abandonner hopes to drop
communiqués statements, press releases
émettent put forward
reportant ses efforts transferring its efforts
haute valeur ajoutée high value added
Plus d'équilibrisme entre No more (efforts at achieving) balance between
ce qui coûte that which costs
et ce qui rapporte and that which yields/gives a return
prône advocates
minée par sapped/worn down by
sureffectif overstaffing
gaspillage waste
souplesse flexibility
survie survival
regrette regrets, is sorry (that)
fret ferroviaire rail freight
aligner to align/bring into line (with)
remède the remedy
maux ills, problems

supprimer les trains **à moitié vides** pour les **transvaser** dans des trains **à moitié pleins**… Une telle gestion ne peut atteindre ses objectifs si l'on maintient, par exemple, des zones fumeurs où les **places vacantes** sont refusées par la clientèle non-fumeur. Inversement, la suppression de ces distinctions permet une **répartition** de la clientèle approchant l'idéal du **bourrage** maximum. Au lieu de laisser le non-fumeur jouir d'une **coquille** imparfaitement remplie, il doit s'adapter pour son bien et pour celui de la collectivité.

Sur certaines vieilles lignes, la compagnie tolère encore l'achat de billets sans réservation et l'habitude de **grimper** au dernier moment ; mais il s'agit de trains en péril, chemins de fer de basse catégorie circulant sur ces portions du territoire que la SNCF **espère** progressivement **abandonner**. Les **communiqués** de la direction **émettent** régulièrement l'hypothèse, puis l'intention toujours plus marquée de laisser aux régions la charge de ce réseau peu rentable – la compagnie nationale **reportant ses efforts** sur les lignes à **haute valeur ajoutée** dont le train à grande vitesse constitue le modèle, avec ses tarifs modulés et ses annonces en anglais. **Plus d'équilibrisme entre ce qui coûte et ce qui rapporte** ; chaque employé, chaque voyageur doit devenir intégralement rentable, et cette réforme se dissimule sous des prétextes sociaux hygiéniques, humanitaires et mille bonnes raisons économiques.

Dans son essai *Les Danseuses de la République* l'ingénieur des Ponts-et-Chaussées Christian Gérondeau **prône** un abandon pur et simple des lignes régionales et du transport de marchandises. D'après son étude, riche en arguments irréfutables, la SNCF, **minée par** le **sureffectif**, pratique un **gaspillage** considérable. Le développement du trafic routier correspond mieux à la **souplesse** de l'économie moderne. Grâce à des véhicules « de moins en moins polluants », l'air ne cesse de s'améliorer dans nos villes et nos campagnes. Tout en défendant la **survie** de trains adaptés à la clientèle d'affaires, Christian Gérondeau **regrette** que les employés du **fret ferroviaire** refusent d'**aligner** leurs conditions de travail sur celles des transporteurs routiers. Travailler plus pour moins d'argent : on a trouvé le **remède** à tous les **maux**, la solution qui s'impose après des années de réduction des coûts. En découvrant cette

effectifs trop élevés *here:* staffing levels (that are) too high
concurrence competition
pléthorique excessive, too extensive
houlette leadership
hauts fonctionnaires jouant aux entrepreneurs high-level civil servants pretending to be business executives. The split between the two types of managers fuels ongoing controversy. Ironically, many on both sides of the divide are graduates of the same schools, notably the École nationale d'administration (ENA).
segments faibles the weak parts
renvoie send...back
incitaient were urging
prendre le volant to take the wheel
se débrouiller to manage
sur ses quatre roues on his four wheels
base spatiale space station
délocalisée relocated
entourée de parkings surrounded by parking lots
est prié is asked/requested
luxueux luxurious
se rabattre make do with, settle for
« **non échangeables ni remboursables** » non-exchangeable, non-refundable
chiffre d'affaires revenues
inéluctablement inevitably
standards automatiques *in effect:* phone trees
dans le vide into the void
le temps qu'on passe à l'acheter the time you spend to buy it
Outre In addition to
s'y voit offrir sees offered there
location de voitures car rental
élargissant widening, expanding, increasing
gamme de compétences *in effect:* range of services
délaisse abandons

analyse implacable, j'ai commencé à aimer la Société nationale des chemins de fer pour ses **effectifs trop élevés**, ses salaires supérieurs à ceux de la **concurrence**, son réseau **pléthorique** et tout ce que la compagnie combat aujourd'hui.

Sous la **houlette** de **hauts fonctionnaires jouant aux entrepreneurs**, la société d'État poursuit sa transformation. La dégradation progressive de la qualité du transport sur les **segments faibles** du réseau **renvoie** les derniers usagers vers l'automobile, comme si les chemins de fer eux-mêmes **incitaient** chacun à **prendre le volant**. Le modèle aérien s'impose toujours davantage : assurer un transit rapide et massif vers quelques gares importantes, à partir desquelles chacun doit **se débrouiller sur ses quatre roues**. À la décrépitude du réseau abandonné s'oppose le gigantisme de la station TGV – sorte de **base spatiale délocalisée** en pleine campagne, **entourée de parkings**, qui marque le triomphe du voyage rapide, rentable, moderne, efficace.

Dans la jungle d'offres et de tarifs, chacun **est prié** de choisir ses dates et son itinéraire selon ses moyens. Entre l'usager du train déclassé sur une ligne secondaire et le client de première classe sur un **luxueux** Thalys de la ligne Paris-Bruxelles, le prix du kilomètre peut varier de un à dix. Pour trouver des billets économiques, il faut **se rabattre** sur les promotions en vente sur Internet : réservations « **non échangeables ni remboursables** » qui augmentent le **chiffre d'affaires** en proportion des billets **inéluctablement** perdus. Il est également possible d'utiliser le service téléphonique où des **standards automatiques** vous demandent de crier « oui » ou « non » **dans le vide**. La minute coûte cher et il faut non seulement payer son billet, mais aussi **le temps qu'on passe à l'acheter**.

Ce glissement des transports publics vers l'entreprise commerciale trouve son expression accomplie sur le site web *voyages-sncf.com*. **Outre** l'achat de billets de train, l'utilisateur **s'y voit offrir** quantité de services : **location de voitures**, réservation de billets d'avion ou de chambres d'hôtel. En **élargissant** sa **gamme de compétences** à celles d'une agence de voyages, la SNCF oublie définitivement sa vieille ambition – conduire les voyageurs d'une gare à l'autre – et **délaisse** toute activité non rentable pour dégager de nouvelles sources de profits qui pourront la conduire aussi bien

bourse the stock market
assurances insurance companies
actions pétrolières oil stocks
Paysage sinistre Bleak/Dreary landscape
pouilleuse seedy, squalid
calcaires limestone
terrains militaires military training grounds
éoliennes wind turbines
tirer bénéfice get something out of
ingrate *here:* arid
vendeur ambulant snack trolley vendor
chariot à roulettes rolling cart
boîtes à sandwiches packaged sandwiches
ficelles string, twine
élastiques rubber bands
transigé compromised
rogné cut
étendre extend, stretch out
réunir *here:* raise
dedans inside
se rêvant dreaming of being
dehors outside
on en arrive end up, get to the point of
se donner to put your heart and soul in
comme pour me donner l'avantage as if to give me the advantage
précisé stated, expressed
« parler d'avenir » to talk of the future
Je me suis...avisée que I realized that
débouché important an important (business) opportunity
le retrouvant getting together with/meeting him again
boire un verre to have a drink
hôtel Lutétia a paradigm of the luxury hotel, situated on the Left Bank. During World War II, it was requisitioned by the Gestapo and served as headquarters for the Nazi regime during the Occupation.
sympathique nice, likeable, pleasant
agacements irritations, annoyances

vers la **bourse**, les **assurances** ou les **actions pétrolières.**

Un peu plus tard

Paysage sinistre de la Champagne **pouilleuse** : déserts **calcaires** transformés en **terrains militaires**, terrains agricoles où pointent quelques **éoliennes** gigantesques pour **tirer bénéfice** de cette région **ingrate.** Juste après Épernay, j'ai vu passer un **vendeur ambulant** pakistanais et son **chariot à roulettes.** Les **boîtes à sandwiches** tenaient avec des **ficelles** et des **élastiques.** Le sous-traitant avait visiblement réduit ses coûts, **transigé** sur la qualité des produits, **rogné** le salaire du vendeur ; mais le café était chaud.

Confortablement assise dans le train rapide, je réfléchis à la dégradation du service public. De retour à Paris, je vais passer huit jours à chercher des contrats, à négocier des prix, à dégager de nouvelles sources de profit. Je trouverai même dans cette activité un certain plaisir ; oubliant le réseau ferré, je vais **étendre** mon réseau d'influence, gagner le maximum d'argent en un minimum de temps, **réunir** le capital qui me permettra bientôt de tout arrêter. Dans ce curieux système, on peut être **dedans** tout en **se rêvant dehors ; on en arrive** même à **se donner** entièrement aux affaires dans le seul espoir de ne plus penser à l'argent.

Vendredi 9

Hier, rendez-vous avec Jean-Bertrand Galuchon, sous-directeur de la communication à la SNCF. Il m'a rappelée lui-même **comme pour me donner l'avantage.** Je ne l'aurais pas fait spontanément, mais j'étais contente ! Je n'y voyais d'ailleurs qu'un jeu de séduction, quand il a **précisé** vouloir « **parler d'avenir** ». **Je me suis** alors **avisée que** cet homme représentait pour mon agence un **débouché important.**

En **le retrouvant** pour **boire un verre**, au bar de l'**hôtel Lutétia**, j'étais décidée à lui plaire. Sur un ton de complicité, **sympathique** et détaché, j'ai raconté mes **agacements** dans le train, mes

accès de fureur bouts of fury
j'emprunte I take
Abordant Entering
hargne bad temper
conscient aware of
faire sentir to make (him) appreciate
par là même by the same token
un tel échange spontané such a spontaneous exchange
nous conduirait would take/lead us
aux lignes courbes with curved lines
en tailleur in a suit
bat le cœur doré de la Rive gauche beats the gilded heart of the Left Bank
fredonner hum
enfoncée sunk
tout ce qui compte everyone who counts
en matière d'édition in the realm of publishing
mallette briefcase
dossiers files
commerciaux...communicants...polytechniciens...énarques four socio-professional castes: salesmen; marketing and PR people; top-level technical engineers, graduates of the École polytechnique (a prestigious institute of science and technology); and the most elite of them all, the *énarques*, graduates of the École nationale d'administration, training ground of top-level civil servants and future political leaders
déchaînés stirred up, excited
libéralisme free-market ideology, not to be confused with the American false cognate, meaning "left-leaning politics."
pétri steeped in
décontractés casual, relaxed-looking
bêtement comptables simply (those of) accountants
gestionnaires administrators
prôné lauded, extolled
figé fossilized
voyagiste travel agent
pompeuse pompous
fusionner to merge
jusqu'à ce qu'il n'en reste plus qu'une seule until there's only one left
décombres rubble, debris
dégoûtant disgusting
rouler *here:* travel
sales dirty
bouchées clogged, stopped up
ramener reduce

conversations avec les contrôleurs, mes **accès de fureur** face à l'évolution de la SNCF dont **j'emprunte** régulièrement les lignes. **Abordant** son terrain d'un regard critique, je parlais comme par amusement, sans montrer ma **hargne**. Évidemment, ce cadre supérieur était **conscient** des problèmes posés par la transformation du service public. Je voulais donc lui prouver que je pensais librement, **faire sentir** ma capacité d'analyse et, **par là même**, sa capacité d'accepter la contradiction ; **un tel échange spontané nous conduirait**, plus sûrement que la timidité, vers la possibilité d'un contrat.

Nous buvions du champagne dans ce vaste salon **aux lignes courbes**, élégant comme une robe de 1925 (j'étais moi-même **en tailleur**). C'est ici, vers six heures, que **bat le cœur doré de la Rive gauche**. J'aime entendre le piano **fredonner** des standards de jazz, **enfoncée** dans un de ces fauteuils, là où passe **tout ce qui compte** à Paris **en matière d'édition**, de cinéma, de politique. Jean-Bertrand est arrivé sans **mallette** ni **dossiers** ; juste *Le Monde* sous le bras. Il n'a pas le style ennuyeux des **commerciaux vulgaires, des communicants déchaînés, des polytechniciens rigoureux, des énarques** au courant de tout. D'un **libéralisme** cultivé, il semble **pétri** de bons films et de bons auteurs. Ses vêtements sont **décontractés**, ses références jamais **bêtement comptables** ou **gestionnaires**. Il n'en est pas moins converti à l'idée qu'une entreprise d'État doit réaliser un maximum de profits pour, un jour, se revendre par segments avec une forte plus-value et entrer dans le grand marché **prôné** par les responsables du monde entier.

– C'est notre but, Florence. Les gens doivent regarder la SNCF différemment. Ce ne sont plus les usagers d'un service **figé**, mais les clients du *plus grand* ***voyagiste*** *du monde*.

La formule paraissait **pompeuse**. Aujourd'hui, toutes les entreprises veulent devenir la plus grande du monde ; **fusionner jusqu'à ce qu'il n'en reste plus qu'une seule**, sur les **décombres** de toutes les autres. J'ai répondu en riant :

– Je comprends le message et je pourrais le faire passer… Mais attention : même chez le plus grand voyagiste du monde, c'est **dégoûtant** de **rouler** dans des trains **sales** aux toilettes **bouchées** !

– Vous ne pouvez pas **ramener** le problème de la SNCF à

on ne va pas faire leur bonheur malgré eux we're not going to make them happy in spite of themselves
manie odd habit
trou perdu godforsaken place, hole-in-the-ground
gorgée sip
côté brumeux misty side
prolétariat vieillot quaint/old-fashioned working-class people
je peux mettre à votre disposition I can put at your disposal
Ça vous conviendrait? Would that suit you?
dossier important major project
responsable manager, executive
me fournir to furnish me
à l'heure de l'apéritif at happy hour
subis is subjected to
je riais I laughed
suffisamment important sufficiently large
prête à assurer ready to carry out/see to
glaneuse de budgets de communication gleaner of PR budgets
indignée indignant (at)
manque lack
somme trop élevée too high a sum
me plaindre des impôts complain about taxes
prélèvent withhold
ne pensait vraisemblablement qu'à was probably only thinking
ni lui ni moi n'avions le moindre intérêt neither he nor I had the slightest interest
objet professionnel professional purpose/objective
à en tirer to get out of it
nabab mogul, rich man
paysanne a country woman

quelques lignes secondaires qui affichent 10 % de remplissage ! Sur ce genre d'itinéraires, les gens préfèrent la voiture ; **on ne va pas faire leur bonheur malgré eux** !

Peut-être avait-il raison. Il a ajouté ironiquement :

– Quelle **manie**, aussi, de vous rendre dans ce **trou perdu** ! Savez-vous qu'il existe de hautes montagnes accessibles par TGV ?

J'ai repris une **gorgée** de champagne :

– J'aime le **côté brumeux**, le **prolétariat vieillot** des trains de l'Est !

– Oui, bien sûr... Mais ne confondez pas gestion et nostalgie ! Si nous faisons cette campagne, **je peux mettre à votre disposition** une voiture avec chauffeur qui vous conduira jusqu'à la porte de votre maison. **Ça vous conviendrait** ?

Au moment de négocier un **dossier important** pour les chemins de fer, un **responsable** de l'entreprise publique proposait de **me fournir** une voiture ! Cela se passait tout naturellement dans un salon du Lutétia, **à l'heure de l'apéritif**. Et moi qui **subis** chaque semaine la décrépitude du réseau ferré, **je riais** avec lui parce qu'il y avait peut-être, au bout, un contrat **suffisamment important** pour me permettre de moins travailler. Telle est ma double vie : victime de la SNCF, mais **prête à assurer** la propagande de cette entreprise ; ennemie du capitalisme moderne mais **glaneuse de budgets de communication** ; **indignée** par le **manque** de rigueur de la fonction publique, mais capable d'accepter une **somme trop élevée** pour le travail que j'accomplis ; et toujours prête à **me plaindre des impôts** qui **prélèvent** une partie de mes revenus pour les redistribuer aux chemins de fer... Jean-Bertrand, de son côté, **ne pensait vraisemblablement qu'à** la privatisation et aux futures stock-options qui lui permettraient, un jour, d'acheter une villa sur la Côte d'Azur. Si bien qu'en somme **ni lui ni moi n'avions le moindre intérêt** pour l'**objet professionnel** de ce rendez-vous (le développement de la SNCF), puisque, simplement, nous cherchions tous deux **à en tirer** un profit maximum : lui pour vivre comme un **nabab** ; moi comme une **paysanne**.

Telle Just like
hameau montagnard mountain hamlet
bergerie sheepfold
goûte enjoy
me guérit cures me
enjeux de pouvoir power struggles
mauvaises langues malicious gossips
prétendent claim
davantage moi-même more myself
calculatrice calculating
gamme de sourires range of smiles
las weary
lande moor
sous la pluie légère under the gentle rain
fumerolles wisps of smoke
en rase campagne in open country
correspondance connection
voiture de tête first car
s'alignaient were lined up/in a line
chargés de valises laden with suitcases
je m'agaçais I was annoyed
retard delay
haut-parleur loudspeaker
étaient priés were asked
rejoindre to return/go back to
contrarié thwarted
pénible tiresome
attente incertaine wait of uncertain length
dérèglements malfunctions
pimentent spice up
en pareilles circonstances in similar circumstances
solidarité solidarity
régnait reigned
façons inhabituelles unusual ways
d'engager to begin
voisin neighbor
de lui céder son fauteuil to let him have one's seat
épreuve ordeal
tels des réfugiés like refugees

Samedi 10

Telle Marie-Antoinette, je vais retrouver mes moutons. Dans le décor d'un **hameau montagnard**, j'habite une **bergerie** où je **goûte** la solitude. La paix de la nature **me guérit** des agitations de la Cour, des **enjeux de pouvoir** et des nuits de fête... Les **mauvaises langues prétendent** que je suis **davantage moi-même** à la Cour qu'à la ferme. Elles me trouvent **calculatrice** ; elles dénoncent cette **gamme de sourires** plus ou moins forcés dans le naturel, plus ou moins sincères dans la chaleur et l'amitié, un peu **las** pour les uns, plus fervents pour les autres. Elles affirment que je succombe facilement à l'argent et aux flatteries. Elles ne savent pas que toutes mes pensées vont vers cette ferme que je regagnerai bientôt, vers la **lande** où je vais rêver, **sous la pluie légère**, en regardant les **fumerolles** humides s'élever du sol et me raconter les légendes de la vallée.

Dimanche 11, dans le train

Au retour d'un week-end en Bretagne, mon train venait d'arriver dans une gare **en rase campagne** où je devais attraper la **correspondance** pour Paris. J'avais marché jusqu'au bout du quai pour grimper dans la **voiture de tête** ; d'autres passagers **s'alignaient** dans le froid, **chargés de valises.** Les minutes passaient, l'express n'arrivait pas et **je m'agaçais** de ce **retard** quand une voix, dans le **haut-parleur**, annonça que le train subirait un retard indéterminé ; les voyageurs **étaient priés** de **rejoindre** le hall de la gare.

Évidemment, chacun se trouvait **contrarié** dans ses projets (moi-même, je devais rejoindre des amis pour dîner). Mais nous espérions un dénouement rapide ; et puis, ce retard officiel était moins **pénible** qu'une **attente incertaine.** Dans notre vie sans surprises, nous venions d'être touchés par l'un de ces **dérèglements** qui **pimentent** la vie moderne. Comme souvent **en pareilles circonstances**, une certaine **solidarité régnait** dans la salle d'attente : des **façons inhabituelles d'engager** la conversation avec son **voisin, de lui céder son fauteuil.** Rassemblés dans l'**épreuve**, nous attendions patiemment les informations et la fin de l'épisode, **tels des réfugiés** sous un

bombardement bombing, air raid
minime minimal
au guichet at the ticket counter
ordinateur computer
boissons chaudes hot drinks
De par ses fonctions By virtue of her office
s'autodésignait appointed/designated herself
sauvetage rescue
on devinait we imagined
où en est le service public *in effect:* what public service has come to
Pas de train de remplacement No replacement/substitute train
explications explanations
salariés salaried workers
bloqué blocked, stuck
en pleine voie right in the middle of the track
lui-même itself
panne breakdown
de secours *here:* backup
autocar bus
dépanner to help/bail (us) out
déraisonnable unrealistic, unreasonable
prenaient déjà leurs dispositions were already making their arrangements
survie survival
gymnase gymnasium
des environs in the area
d'un certain âge middle-aged
bougonnait grumbled
syndicats unions
déliquescence decline
s'était engagée had been struck up
cheminots railway workers
frénésie d'investissements frenzy of investments
conduisait à abandonner was leading to the abandonment
envoi dispatch
supposait une décision presupposed a decision
raisonnait rationalized
selon des considérations according to considerations
On avait délibérément choisi They had deliberately chosen
de nous faire perdre to make us lose
quitte à even at the risk/if it meant
Tandis que nous filions While we were rushing
je regrettais presque I was almost missing
s'était nouée had been established

bombardement – sauf que le danger était **minime.** La préposée **au guichet** avait abandonné son **ordinateur** pour distribuer des **boissons chaudes. De par ses fonctions**, elle **s'autodésignait** responsable de l'opération de **sauvetage** ; mais, derrière cette attention pour chacun, ses efforts pour répondre aux questions, **on devinait** son analyse de la situation :

– Voilà **où en est le service public. Pas de train de remplacement**, pas d'**explications.** La direction abandonne les usagers, comme elle abandonne ses **salariés** !

Une heure passa. Selon des rumeurs parvenues jusqu'à nous, l'express de Paris était **bloqué en pleine voie** derrière un train de marchandises, **lui-même** immobilisé par une **panne** de locomotive. Je me demandais pourquoi il était aussi long d'envoyer une locomotive **de secours** ou un **autocar** pour nous **dépanner.** Je songeais également que pareil incident était dans la nature des choses ; que notre habitude de voir tout fonctionner à la perfection est **déraisonnable.** Les plus fatalistes **prenaient déjà leurs dispositions** pour une nuit de **survie** dans un **gymnase des environs.** Seul un monsieur strict, **d'un certain âge, bougonnait** dans son coin et rendait visiblement les **syndicats** responsables de la **déliquescence** du pays tout entier.

Au début de la deuxième heure, je suis allée prendre l'air sur le quai, où une conversation **s'était engagée** entre passagers et **cheminots.** Une certaine sympathie rapprochait les deux camps, d'accord pour mettre en cause la « nouvelle politique » et cette **frénésie d'investissements** sur les lignes à grande vitesse qui **conduisait à abandonner** les trains régionaux. Un agent de la SNCF affirma que l'**envoi** d'un train ou d'un car **supposait une décision** de la direction régionale qui **raisonnait selon des considérations** purement budgétaires. **On avait** ***délibérément choisi*** **de nous faire perdre** des heures, **quitte à** rembourser plus tard nos billets. À la fin de la troisième heure, la locomotive de secours est arrivée, le train de marchandises est passé et l'express est entré en gare. **Tandis que nous filions** vers Paris, la vie a retrouvé son cours normal et **je regrettais presque** ce bref moment perdu, cette compréhension mutuelle qui **s'était nouée**, le temps d'une perturbation, entre la plupart des personnes présentes, comme **si**

si nous étions tous dans la même galère if we were all in the same boat, *galère* being the lower deck of a galley where sailors were condemned to virtual slave labor. cf. *Quelle galère !* = What a drag!
soumis subjected
dont il fallait subir of which we had to suffer
se sont dissoutes dissolved
signaux the signs
pente raide steep slope
éboulis rocheux piles of fallen rocks
gros cailloux large rocks
genévriers junipers
myrtilliers blueberry bushes
herbe drue thick grass
prennent leurs quartiers d'été *in effect:* go to their summer residence/quarters
à foin of hay
faucher to cut/scythe
pleines de grenouilles full of frogs
mulots fieldmice
collés à la vitre glued to the window
retrouvailles reunions
sous l'auvent under the porch roof
emplirait would fill
j'allumerais I would turn on
poste de radio the radio (set)
j'éplucherais I would peel (the leaves off)
laitue (head of) lettuce
plaisir ignoré pleasure unheard of/unknown
survoltée worked up, overly excited
se décline defines itself
ustensiles utensils
essoreuse à salade salad/lettuce spinner
il suffit d'appuyer sur un bouton all you had to do was push a button
panier de fer iron rack
j'agite à grands gestes *in effect:* I shake hard
foi sincerity
extase ecstasy, rapture
enfantin children's
pressée in a hurry
attristée saddened

nous étions tous dans la même galère, **soumis** aux fluctuations d'une navigation qu'on n'avait pas choisie, mais **dont il fallait subir** les conséquences.

Lundi 12

Quand le taxi s'est approché du village hier, toutes les questions économiques, sociales, morales, **se sont dissoutes** dans la bonne humeur de retrouver les **signaux** de mon pays enchanté. Tout là-haut, le massif de sapins s'accrochait à la **pente raide** ; quelques **éboulis rocheux** accentuaient l'allure sauvage de la forêt. Plus bas, je reconnaissais la végétation animée de la lande où quelques **gros cailloux** ont roulé parmi les bruyères, les **genévriers** et les **myrtilliers**. Sur cette **herbe drue**, traversée de petits ruisseaux, les vaches **prennent leurs quartiers d'été**. Plus près de moi enfin, au creux de la vallée, s'étendait la grande prairie **à foin** où les gens, autrefois, venaient par familles entières, dans la chaleur de juillet, **faucher** des herbes hautes **pleines de grenouilles** et de **mulots**. Les yeux **collés à la vitre** du taxi, j'accomplissais mes **retrouvailles** avec l'idée du bonheur.

Dans un instant, j'allais me précipiter **sous l'auvent**, couper quelques bûches et les jeter dans la cuisinière qui **emplirait** la maison de sa bonne chaleur odorante ; ce soir, **j'allumerais** le **poste de radio** pour écouter, sur France Culture, un programme scientifique qui m'instruirait du développement de la biologie moléculaire, tandis que **j'éplucherais** une **laitue** avec un **plaisir ignoré** à Paris. Pourquoi suis-je incapable de vivre ici et là-bas de la même façon ? Pourquoi faut-il que s'opposent une Florence pressée, agitée, **survoltée**, et une Florence calme, lente, attentive ? Cette double vie **se décline** jusqu'aux **ustensiles** de cuisine, comme l'**essoreuse à salade** : la Parisienne, fonctionnelle et rapide (**il suffit d'appuyer sur un bouton**) ; la campagnarde, un bon vieux **panier de fer** que **j'agite à grands gestes** dans le jardin glacé avec la **foi** intacte de Marie-Antoinette… Mon bonheur rural est une **extase** de petite fille, joyeuse de revenir au paradis **enfantin**, **pressée** de retrouver chaque porche d'étable, **attristée** par la disparition des

basses-cours farm animals
s'ébattaient frolicked
essor development, boom
ampoule électrique electric lightbulb
bûcheron lumberjack, woodsman
rentrant chez lui going home
avait remarqué noticed
contrée county
étape stage, leg
sous surveillance under watch/surveillance
mettaient un point d'honneur à ce que made it a point of honor that
à plein rendement at full capacity
plus jamais never again
camionnette van
Tout en haut de l'échelle At the very top of the ladder
plus tôt que d'habitude earlier than usual
en plein jour in the middle of the day
sous un ciel gris under a gray sky
annonciateurs de neige warning signs/heralds of snow
allumage automatique automatic switching on
survenir occur
reporter mon attention to transfer my attention
vierge de unsullied by
a ralenti slowed down
je n'ai donc prêté aucune attention I therefore didn't pay any attention
mât métallique metal pole
mon regard *here:* my eye
venait d'être happé had just been caught
épouvantable terrible, dreadful
talus embankment
cauchemardesque nightmarish
trois énormes poubelles three enormous garbage bins
socle en béton armé reinforced concrete base
avaient élu domicile had taken up residence
carapace shell
autres ordures other garbage

basses-cours qui **s'ébattaient** dans le village avant l'augmentation exponentielle de la circulation et l'**essor** de la production industrielle de poulet.

Bref, je serais arrivée dans une joie presque parfaite sans la pensée du réverbère planté à l'entrée du chemin, absurde éclairage dont Grégory avait judicieusement détruit l'**ampoule électrique** dix jours plus tôt – mais en vain : le soir même, un **bûcheron rentrant chez lui** à la nuit tombante **avait remarqué** l'extinction. Ce détail, insignifiant dans une **contrée** plus développée, n'avait pu échapper aux yeux de néopaysans qui voient cette lumière nocturne comme une **étape** de leur marche triomphale vers le progrès. L'ampoule était **sous surveillance** ; les villageois **mettaient un point d'honneur à ce que** son inutilité fonctionne **à plein rendement** afin que, **plus jamais**, la nuit ne tombe sur ce pré. Quelques jours plus tard, j'ai eu la mauvaise surprise d'apercevoir, près du réverbère, une **camionnette** de la société Lumicom. **Tout en haut de l'échelle** un employé procédait au remplacement de l'ampoule brisée.

Pour mon retour, aujourd'hui, j'ai pris le train **plus tôt que d'habitude**. Je voulais arriver **en plein jour**, sans éclairage public. Le taxi approchait de la maison dans la fraîcheur de l'après-midi, **sous un ciel gris** où passaient de grands nuages rapides, **annonciateurs de neige**. Je retrouvais ma vallée intacte – au moins jusqu'à l'**allumage automatique** qui devait **survenir** à 17 h 30. J'allais retrouver mes rêveries jusqu'à la tombée de la nuit qui m'obligerait, désormais, à **reporter mon attention** de l'autre côté de la maison, vers ce défilé encaissé, **vierge de** lumière, de moteurs et de bitume. En somme, j'avais pris mes dispositions.

Quand le taxi **a ralenti** à l'embranchement du chemin, **je n'ai donc prêté aucune attention** au grand **mât métallique** planté au-dessus du pré. Je m'y suis d'autant moins intéressée que **mon regard venait d'être happé** par un spectacle **épouvantable** près du **talus**, au pied du réverbère ; une vision vraiment **cauchemardesque**, cette fois-ci : **trois énormes poubelles** colorées en matière plastique – l'une rouge, l'autre bleue, la troisième verte –, posées sur un **socle en béton armé** qui n'existait pas huit jours plus tôt. Trois animaux hideux, venus d'un autre monde, **avaient élu domicile** sous l'appareil d'éclairage public, juste devant mes fenêtres. Ils portaient des inscriptions sur leur **carapace** : « verre », « papier », « **autres ordures** ».

tri sélectif selective sorting
haie d'honneur guard of honor
résumait summed up
ESPACE PROPRETÉ *Espace* is an all-purpose neologism designating an area reserved for a particular use, e.g., *Espace fumeur/non-fumeur* (= smoking/non smoking area), *Espace détente* (= relaxation area where you have coffee and chat), and in this case, *Espace propreté* (= sanitation area, where three bins of different colors for garbage sorting and recycling are viewed with horror by the protagonist).
laideur ugliness
lois de la relativité laws of relativity
n'interdit prevents (someone)
esthétiques aesthetic
impudeur shamelessness
crues *here:* garish
herbe grass
feuillages foliage
À coup sûr For sure, Definitely
se fondre *here:* to blend
elle jure d'emblée sur it clashes right away/at first sight (with)
bleu faux du désenchantement false blue of disillusionment
se faire remarquer to draw attention to itself
elle s'en montre aussitôt incapable it immediately shows itself to be incapable of it
qu'elle n'a rien à faire ici *here:* that it has no business being here
disserteraient would pontificate
épais thick
emballage lisse et mort smooth and dead packaging
brillant inaltérable fade-resistant shine
stigmates scars, stigmata
son devenir its future
moisissure noire black mold
repoussant hideous, revolting
« **patine** » patina
son maximum d'incongruité its peak of incongruity
Encore toutes clinquantes Still as flashy
d'être nées hier as if they'd been born yesterday

Ces trois containers de **tri sélectif** formaient la **haie d'honneur** installée pour fêter solennellement mon retour au village. Sur le côté, un panneau métallique portait une inscription solennelle qui **résumait** le projet :

ESPACE PROPRETÉ

Mercredi 14

Qu'est-ce que la beauté ? Qu'est-ce que la **laideur** ? Selon les **lois de la relativité** totale, rien **n'interdit** évidemment de considérer un ensemble de containers en plastique pour ses qualités **esthétiques**. Leur incongruité même sur ce fond d'arbres et de prairies, l'**impudeur** de leurs couleurs **crues**, contrastant avec les nuances de l'**herbe** et des **feuillages**, méritent un effort de compréhension. **À coup sûr**, on a choisi ce vert comme symbole de pureté, couleur emblématique d'une nature qu'on désire protéger. Destinée à **se fondre** dans le paysage, cette couleur est pourtant si artificiellement verte, si faussement verte qu'**elle jure d'emblée sur** tous les verts du monde ; et ce bleu n'est pas celui de l'azur ni de la mer, mais le **bleu faux du désenchantement**. La première qualité d'une telle esthétique est donc de **se faire remarquer** : destinée à se fondre dans la beauté du lieu, **elle s'en montre aussitôt incapable** et se contente, en définitive, de prouver **qu'elle n'a rien à faire ici**.

De subtils théoriciens **disserteraient** sur la matière de ces containers, vraiment révolutionnaire au regard d'une vieille beauté inégalitaire, obsédée par les matériaux nobles ou jugés tels. Ce plastique **épais**, posé en bas du chemin, n'est pas seulement un **emballage lisse et mort**, portant le **brillant inaltérable** des polymères pétroliers. Après quelques jours d'existence, il porte déjà les **stigmates** de **son devenir**. Une petite **moisissure noire** s'est immédiatement posée à la surface. De plus en plus **repoussant**, incapable de se fondre dans l'environnement (au contraire de la « **patine** » des matériaux naturels), l'objet tendra toujours désormais vers **son maximum d'incongruité**. **Encore toutes clinquantes d'être nées hier**, ces poubelles de tri sélectif exhibent

rayures scratches
champignons *here:* fungi
infections infections
boursoufler to blister
poubelliser *here:* to trash. The word is derived from the name of Eugène Poubelle, préfet de Seine, who in 1884 issued a decree ordering regular garbage collection in the city of Paris. A street in the 16th arrondissement bears his name. Paris garbage service is excellent, but garbage collection constantly snarls traffic already hopelessly gridlocked.
en tenue de randonneuse in hiking clothes
lotissement subdivision
je tente de débrouiller I try to sort out
maçon brick
masure pouilleuse flea-ridden/seedy hovel
laid ugly
Aurais-je pensé Would I have thought
s'est affaissé has sagged
à la lisière des bois at the edge of the woods
s'y engloutir to be swallowed up
s'oppose à contrasts with
blancheur whiteness
goudronnée paved with asphalt
pelouses lawns
tondues *here:* mowed
grillages wire fencing
haies de thuyas thyme hedges
carreaux sans croisillons windows without latticework
en PVC in polyvinylchloride, i.e., plastic
vendues et posées d'un seul bloc sold and installed in one single piece
trou béant gaping hole
cadre frame
store coulissant sliding awning
volets shutters
menuiserie woodwork
salissure dirty mark
facturer bill/invoice/charge for
pan de mur blanc section of white wall
parpaing cinder block
torchis cob, a mixture of clay and straw
posée set down
semblables similar
de toutes mes forces with all my might
saisir *here*: to understand, grasp

déjà leurs premières **rayures**, leurs premiers **champignons**, leurs premières **infections**, toute une dégradation propre aux matériaux industriels qui va progressivement altérer, **boursoufler** et **poubelliser** les poubelles jusqu'à l'extrême.

Certains après-midi, **en tenue de randonneuse**, je marche vers le hameau voisin, jusqu'au **lotissement** construit près d'une ancienne ferme misérable. À chaque fois, honnêtement, **je tente de débrouiller** la question : pourquoi ces maisons de lotissement (vendues sur catalogue comme de « véritables maisons de **maçon** ») me paraissent-elles *moins belles* que la **masure pouilleuse** au bord de la rivière ? Est-ce un sentiment grossièrement nostalgique qui me fait voir le plus récent comme le plus **laid** ? **Aurais-je pensé** la même chose de cette vieille ferme quand elle était neuve ? Aujourd'hui, son toit **s'est affaissé** sur les poutres ; rien n'est régulier dans ses lignes ni dans ses couleurs ; elle s'enfonce dans le sol **à la lisière des bois** et semble prête à **s'y engloutir** pour toujours. Au contraire, la véritable-maison-de-maçon, vendue sur catalogue, **s'oppose à** tout ce qui l'entoure par sa **blancheur**, son garage et son allée **goudronnée**. Assise dans l'herbe, je regarde les **pelouses** bien **tondues** – un peu ridicules au milieu des prairies de la vallée –, les **grillages** et les **haies de thuyas** comme dans n'importe quelle banlieue d'Europe ou d'Amérique ; j'étudie les **carreaux sans croisillons**, les fenêtres **en PVC vendues et posées d'un seul bloc** dans le **trou béant**, avec leur **cadre** en plastique et leur **store coulissant**. Ni **volets**, ni **menuiserie**, ni rien qui demande le moindre entretien : ces matériaux connaîtront seulement la dégradation et la **salissure**, puis le remplacement d'un seul bloc – ce qui permettra à l'entreprise de les **facturer** une seconde fois.

Étendue sur les fleurs des champs, je regarde ce petit **pan de mur blanc** que j'ai vu grandir, **parpaing** après parpaing, que j'ai regardé prendre forme lors de la construction rapide de la maison– non pas sortie de terre comme la ferme en pierres et **torchis**, mais simplement ***posée*** par terre comme des millions d'autres maisons **semblables** aux quatre coins du monde. Je regarde ce petit pan de mur blanc dans un coin de ciel bleu et, **de toutes mes forces**, je cherche comment le trouver beau, comment **saisir** sa qualité particulière, comment l'aimer démocratiquement comme on doit

désespérément muet hopelessly mute
morceau piece, fragment, lump
matériau mort dead material
tuiles mécaniques mechanical tiles
gros champignon large mushroom
terrier bâti burrow built
hutte hut
excroissance offshoot, outgrowth
avaient vieilli had aged
douillette quaint
conte bucolique bucolic/pastoral tale
effrontément shamelessly, brazenly
criardes garish
revendiquées demanded
ordures garbage
« propreté » cleanliness
corvéable à merci used and abused
en contraignant forcing, compelling
éboueur garbage collector
mode de financement de la recherche médicale means of financing medical research
bras armé mainstay
violente dégradation visuelle the harsh visual damage
effrayant aménagement écologique dreadful ecological development
Dépit Frustration
me font entrevoir give me preview
ivresse drunkenness
dont on les a trop longtemps privés of which we have deprived them for too long
pèlerinage pilgrimage
chargées d'ordures full of garbage
son lot de déchets his lot/batch of refuse/waste

aimer le mouvement de l'humanité. Mais ce petit pan de mur blanc reste **désespérément muet**, comme un **morceau** de **matériau mort** dans un coin de ciel bleu, un mur de parpaings couvert de **tuiles mécaniques** qui, en dix ans, ont pris la teinte dégoûtante des matériaux de grande série. Alors je me tourne vers la vieille ferme et j'ai l'impression de voir, au contraire, un **gros champignon** sorti du sol avant d'y retourner, un **terrier bâti** avec des morceaux de prairie, des bouts de montagne, une **hutte** primitive dont les couleurs s'accordent au paysage, comme si la maison était sa propre **excroissance**, comme si ses matériaux, ses pierres et ses planches **avaient vieilli** au rythme de la vallée tout entière.

Le lotissement met en scène un concept de village réglé par les industriels de la construction. Les containers de tri sélectif n'ont pas la même ambition **douillette**, mais ils contribuent à *faire le bien*. Ici, rien ne joue au **conte bucolique**. Ici, l'Entreprise se pose **effrontément** avec ses objets et ses couleurs **criardes, revendiquées** pour leur côté pratique. Ici, le Nouveau Monde impose ses usages en rassemblant les **ordures** sous le nom de « **propreté** », en utilisant la population comme un personnel **corvéable à merci, en contraignant** chaque citoyen à accomplir lui-même le travail d'**éboueur**, et en présentant cette contrainte comme un progrès. Dans un monde où le sacrifice de chacun doit contribuer au bien de l'économie, l'*Espace propreté* se désigne à la fois comme un instrument en faveur de l'environnement, un **mode de financement de la recherche médicale**, un moyen pour l'administration municipale de réduire ses charges ; bref, un **bras armé** de notre survie qui peut justifier la **violente dégradation visuelle** du paysage.

De multiples sens commencent à m'apparaître tandis que je regarde, à l'entrée du pré, cet **effrayant aménagement écologique**. **Dépit** et fureur **me font entrevoir** toute la dimension sociale et diabolique de l'installation. Le complexe de tri sélectif n'est inauguré que depuis quelques jours mais, déjà, les néopaysans semblent s'être précipités avec **ivresse** pour jouir du dernier ustensile moderne **dont on les a trop longtemps privés**. Ils sont venus l'un derrière l'autre accomplir leur **pèlerinage**, dans une procession de voitures **chargées d'ordures**. Chacun avec **son lot de déchets**, ils ont inauguré les containers porteurs de changement.

débris de verre *in effect:* pieces of broken glass
étiquettes de bière beer labels
jonchent litter, are strewn over
amas heap
suinte seeps, oozes
écoulement fétide foul outflow
mêlé de lait et de vin rouge mixed with milk and red wine
dalle slab
s'infiltre seeps into
bouteille d'huile encore grasse still-greasy bottle of oil
épluchures peelings
hommage des humbles homage from the humble
propreté cleanliness
nouveau pas new step
quotidiennement daily
habitants des grandes agglomérations inhabitants of large towns
par le haut from the top
par le bas from the bottom
par les côtés from the sides
s'exhalent waft
bouches noires black mouths
languette de caoutchouc rubber handle
bave d'ordures collante et sucrée dribble of sticky and sugary filth
amas de laideur pile of ugliness
rivaliser competing with
aller jusqu'au bout to go right to the edge
dépasser to surpass
attirer le regard to catch the eye
briser l'harmonie shatter/destroy the harmony
sceptique skeptical
se heurtent dans ma tête are whirling about in my head
En quoi In what way
ce genre d'installation améliore-t-elle does this type of installation improve
effectuait le ramassage à domicile handled the (garbage) pickup at the house
assurait des emplois ensured jobs
décharges garbage dumps
déchets refuse
triés sorted
chiffonniers ragmen
ferrailleurs iron dealers
récupéraient salvaged
les revendre au poids to sell them by weight

Quelques **débris de verre**, des **étiquettes de bière jonchent** déjà le socle en béton. De cet **amas** coupant **suinte** un **écoulement fétide mêlé de lait et de vin rouge**, qui glisse le long de la **dalle** puis **s'infiltre** dans l'herbe. Près du container rouge réservé aux « autres ordures » traîne une **bouteille d'huile encore grasse**. Quelques modestes sacs d'**épluchures** sont posés sur le côté, au pied des containers, comme un **hommage des humbles** à la **propreté** du monde. N'osant choisir entre les trois bouches, ils se sont contentés de laisser leur présent sur le sol. Notre commune accomplit un **nouveau pas** dans sa marche vers le progrès ; elle rejoint le mouvement universel en offrant à sa population l'occasion d'accomplir ce geste symbolique accompli **quotidiennement** par les **habitants des grandes agglomérations**.

Depuis mon retour, avant-hier, je ne cesse de faire le tour du problème. Dix fois par jour, je viens regarder ces trois monstres. Je les examine **par le haut**, **par le bas** et **par les côtés**, avant de constater qu'ils sont toujours là, au bord du pré, prêts à accompagner mes jours comme le réverbère doit accompagner mes nuits. Je reviens timidement toucher ce plastique froid, sentir les odeurs de décomposition qui **s'exhalent** des **bouches noires** – l'orifice des containers, avec sa **languette** de **caoutchouc** sur laquelle se forme une **bave d'ordures collante et sucrée**. Je regarde cet **amas de laideur** à l'état pur, en essayant de lui trouver une beauté... Mais il aurait fallu pour cela poser dans la vallée cent mille containers multicolores, donner au tri sélectif une dimension gigantesque capable de **rivaliser** avec la forêt, **aller jusqu'au bout** de la dégradation, être vraiment audacieux, **dépasser** cette médiocrité qui se contente d'**attirer le regard** et de **briser l'harmonie** des champs.

Tandis que je remonte le chemin, **sceptique**, d'autres idées **se heurtent dans ma tête**. **En quoi ce genre d'installation améliore-t-elle** l'existence des citoyens ? Auparavant, ils jetaient leurs ordures dans des sacs ou dans des poubelles métalliques ; une ou deux fois par semaine, un service intercommunal **effectuait le ramassage à domicile**, ce qui **assurait des emplois**. Pour les usagers, l'effort était minime. Dans les **décharges** ou les usines d'incinération, les **déchets** étaient **triés** par les **chiffonniers** et les **ferrailleurs** qui **récupéraient** les métaux et objets de valeur pour **les revendre au poids**. Tout ce qu'on

chacun doit procéder à ce tri lui-même each has to go about the sort himself
on agite l'argument we waive the argument
charge de travail supplémentaire additional work(load)
bénévole voluntary, unpaid
seul bénéfice de sole benefit of
ramassage d'ordures garbage collection
camion truck
vider to empty
alléger to reduce/cut
ladite entreprise the aforesaid company
à partir du travail effectué apart from the work done
gratuitement free
par les citoyens by the citizens
gain benefit
il ne tient compte it does not take into account
dégradation du paysage degradation of the landscape
pourriture rotting matter
s'exhalent are given off
Pour me défouler To let off steam/unwind
démente a crazy woman
chantage à la vertu *in effect:* moral blackmail
faute de temps et de main-d'œuvre for lack of time and manpower
récupérées *here:* collected
remélangée recombined
récupération collection
assurer le recyclage to handle/carry out the recycling
déchets waste, refuse
détruits destroyed
trient leurs ordures sort their garbage
asservissement subservience
geste factice contrived/fake gesture
recouvrant concealing, hiding
réellement utiles really useful
aménagement de parkings construction of parking lots
élargissement widening
bitumage paving (with asphalt)
santé health
près de rechuter close to dropping/falling off again
exige de chacun demands of everyone
accrue increased
mille et une tâches quotidiennes a thousand and one daily tasks
autrefois in the past
mille et un métiers a thousand and one jobs

nous demande aujourd'hui s'accomplissait déjà, à la seule différence que, désormais, **chacun doit procéder à ce tri lui-même.** Pour justifier cet effort individuel, **on agite l'argument** du « bien public ». En vertu d'une sorte de boy-scoutisme, la **charge de travail supplémentaire** consacrée par chaque citoyen à son temps-ordures est entièrement **bénévole** – en phase avec une société dans laquelle il faut travailler davantage et gagner moins... tout cela pour le **seul bénéfice de** *l'entreprise* de **ramassage d'ordures** dont le **camion** passe une fois par mois **vider** les containers. Sous prétexte d'**alléger** les charges municipales, **ladite entreprise** fonctionne avec un minimum de personnel, **à partir du travail effectué gratuitement par les citoyens.** Quant au **gain** pour l'environnement, **il ne tient compte** ni de la **dégradation du paysage**, ni des émanations de **pourriture** qui s'**exhalent.**

Pour me défouler, je me jette comme une **démente** sur Internet où je recueille toutes les informations possibles sur ce **chantage à la vertu.** Le sauvetage de la planète ? J'ai découvert par exemple que, **faute de temps et de main-d'œuvre**, une bonne partie des ordures **récupérées** dans les containers sélectifs est fréquemment ***remélangée*** après **récupération.** Beaucoup d'entreprises n'ont pas l'organisation nécessaire pour **assurer le recyclage**, et les **déchets** sont finalement **détruits.** Dans ces conditions, l'effort des citoyens qui **trient leurs ordures** ne constitue qu'une opération d'**asservissement**, un **geste factice recouvrant** une brutale réalité économique : la réduction du personnel de l'entreprise de ramassage, la réduction du personnel municipal, l'abandon par les communes des services **réellement utiles**, au profit de quantité d'investissements pompeux : **aménagement de parkings**, **élargissement** et **bitumage** des chemins, installation de réverbères et d'autres espaces propreté. Ainsi vont la modernisation et le progrès social au secours d'un système économique dont la **santé** – toujours **près de rechuter** – **exige de chacun** une contribution **accrue**, un travail plus intense, une solitude plus résignée dans l'accomplissement des **mille et une tâches quotidiennes** qui justifiaient **autrefois** l'existence de **mille et un métiers.**

J'exagère I exaggerate
en colère angry
Tout à l'heure A short while/moment ago
je n'ai aucune envie I have no desire
m'éloigner to move away from
me rappelle brings back
demeure residence
pots de confitures jars of jam
décharge garbage dump. *Charger/décharger* = to load/unload. Signs today direct the driving public to city dumps, now governed by strict protocols. They were once privileged grounds for *récup*, short for *récupération* (rummaging), which sometimes yielded great antiques.
de fin de matinée at the end of the morning
autochtones natives
pastis anise-flavored aperitif popular in France
guignolet cherry liqueur
bûcherons lumberjacks, woodsmen
caractère rude hard/rough character
histoires de chasses et d'animaux stories of hunting and animals
méfaits du héron et du renard ravages of the heron and the fox
chapardeurs petty thiefs, pilferers
ton tone
mal dégrossi hick, redneck
noueux gnarled
râpeux rough
fierté pride
saccager to wreck
visage boudeur with a sullen face
comptoir counter
comme si tout était prévu as if it all had been expected/anticipated
calendrier timetable/calendar
nos affrontements our clashes/confrontations
a éteint *here:* quelled, quashed
je feuilletais I was flipping/leafing through
Ils ont amorcé They launched into
bavardage chatter, gossip
chauffeur routier truck driver
Ils ont bien mis deux jours avant de le réparer It took them two days to repair it

Jeudi 15

J'exagère, bien sûr, mais je suis en colère. Tout à l'heure, assise devant la cheminée, je me répétais, résolue :

– Je vais vendre la maison et partir ailleurs…

Sauf que je n'ai aucune envie de m'éloigner de cette montagne où chaque ruisseau me rappelle un souvenir ; sauf que j'aime cette demeure sur son promontoire, pleine d'histoires et de secrets, de vieux livres et de pots de confitures. Je vivrais dans un paradis vraiment désirable si l'on ne venait de planter là, juste sous mes fenêtres, ce réverbère et cette décharge.

Après deux jours passés à tourner autour des containers en laissant grandir mon ressentiment, j'ai fini par descendre à l'auberge, en choisissant précisément cette heure de fin de matinée où quelques autochtones se retrouvent pour boire un pastis avant le déjeuner. D'habitude, j'ai plaisir à les retrouver. L'ancien café, transformé en restaurant pour touristes, reprend à cette heure son allure de rendez-vous de campagne. Assise à une table, je suis la seule femme présente. Je bois un guignolet en écoutant les récits de forêt racontés par ces bûcherons alignés au bar, qui, malgré la mécanisation, conservent un caractère rude ; j'écoute les histoires de chasse et d'animaux, les méfaits du héron et du renard – ces deux grands chapardeurs. J'aime le ton mal dégrossi, noueux, râpeux des accents ; j'aime la passion de ces hommes pour leur petite région, la fierté qu'ils éprouvent devant leur paysage, quand bien même ils se chargent de le saccager.

Hier, comme j'entrais dans l'établissement, le visage boudeur, j'ai senti que les quatre habitués rassemblés autour du comptoir attendaient eux-mêmes ce moment, comme si tout était prévu dans le calendrier de nos affrontements. Un bref échange de « bonjour » a éteint la conversation. J'ai commandé un café que la patronne m'a servi à la table où je feuilletais le journal local, en attendant que le premier se lance. Ils ont amorcé entre eux un bavardage qui m'était directement destiné. Dominique – chauffeur routier – parlait à son voisin :

– T'as vu le réverbère, en bas de chez Florence ? Ils ont bien mis deux jours avant de le réparer.

Si j'avais chopé le con If I had (only) gotten hold of the bastard
garde-forestier forest ranger
C'est peut-être bien arrivé tout seul Maybe it happened by itself/out of the blue
a enchaîné carried on
bûcheron woodcutter, lumberjack
voix forte loud voice
faussement complice with feigned complicity
J'ai avalé I swallowed
gorgée sip
si j'avais croisé if I had come across/met/passed
coupable guilty one
je l'aurais plutôt félicité I would have congratulated him instead
une nouvelle tournée another round
te dérange bothers you
J'ai redressé le menton I set my jaw
sans me démonter without getting flustered, remaining unruffled
ça gâche it ruins
Il est pas à toi It's not yours
du coin from the area
Ils ont droit They have a right
qu'ils fassent tourner vos commerces *in effect:* that they patronize your businesses
on comprend mal they misunderstand
lubie égoïste selfish whim
agrémenté livened up
moteurs puissants powerful motors
quasiment almost
demeurée half-wit
s'est redressé sat up straight, straightened up
il était affalé he had been slumped
comme en témoignent as witnessed/attested by
teint rouge ruddy complexion
propos pâteux slurred speech
bouffée d'indignation flush of indignation
avec de grands gestes waving his arms
combien il y a de réverbères how many streetlights there are

– **Si j'avais chopé le con** qu'a tiré dedans, a répliqué Joël, le **garde-forestier.**

– **C'est peut-être bien arrivé tout seul ! a enchaîné** Alain, le **bûcheron**, d'une **voix forte** où je sentais l'ironie.

Il a profité de l'occasion pour se tourner vers moi, **faussement complice** :

– Et toi, Florence, t'as vu personne s'attaquer à ce pauvre réverbère, en bas de chez toi ?

J'ai avalé une **gorgée** de café chaud avant de répondre :

– Non, je n'ai vu personne ; mais **si j'avais croisé** le **coupable, je l'aurais plutôt félicité**...

Un silence désagréable est tombé sur l'établissement. Après avoir commandé **une nouvelle tournée**, Dominique a repris :

– Ah bon, la lumière **te dérange**, peut-être ?

L'heure des explications commençait. **J'ai redressé le menton** pour répondre **sans me démonter** :

– Bien sûr, je l'ai déjà dit au maire. D'abord, je ne comprends pas l'utilité d'un réverbère à l'extérieur du village, au bord d'un pré tranquille, sur une route peu fréquentée. Cette lumière, **ça gâche** complètement le paysage...

– **Il est pas à toi**, ce paysage. Pense aux gens **du coin. Ils ont droit** au développement !

– Oui, et ceux qui choisissent de vivre ici, vous êtes bien contents **qu'ils fassent tourner vos commerces** !

Nouveau silence. Mon hostilité au réverbère paraissait sophistiquée ; **on comprend mal** cette **lubie égoïste** contre le progrès. L'état d'esprit des autochtones rappelle celui du Texan ou de l'Australien : le rural **agrémenté** de **moteurs puissants.** Tout, pour eux, tout commence et finit par une question de circulation. Dans leur monde, je fais **quasiment** figure de **demeurée**... C'est alors que Roger, le plus petit des quatre qui n'avait pas encore parlé, **s'est redressé** du bar où **il était affalé.** Celui-là passe ses journées à boire, **comme en témoignent** son **teint rouge** et ses **propos pâteux.** Une **bouffée d'indignation** l'avait saisi, tandis qu'il se tournait vers moi **avec de grands gestes** :

– Alors ça, vraiment, c'est incroyable ! Tu peux me dire **combien il y a de réverbères** dans ta rue, à Paris ?

noyée drowned, saturated
cela ne me dérange pas du tout that doesn't bother me at all
pour les prendre à témoin to make them witnesses
elle en fait toute une histoire she makes a big deal about it
Il haussait le ton He raised the tone
voix éraillée hoarse/raspy voice
Coluche Stand-up comic known for his satires of the down and out, he founded the now-famous soup kitchens, Les Restos du cœur.
on aurait pas droit don't we have the right
éclairages de nuit lighting at night, night lights
tenir des propos sensés to make sensible comments
agacement irritation
Comment ça, en touriste? What do you mean, as a tourist?
Je vis ici la moitié de l'année I live here half the year
depuis ma première enfance since my earliest childhood
J'en ai assez qu'on me regarde I've had enough of being seen
je ne suis pas née sur place I wasn't born right here
a tenté tried
ces sornettes this baloney
Je vous remercie pour votre attention I thank you for your concern
blafarde pale, wan
bête curieuse strange beast
qu'ils se moquent carrément de moi they definitely are making fun of me
a porté *here:* delivered
s'est empressé de renchérir hastened to add

Il m'a fallu quelques secondes pour comprendre sa question **noyée** de pastis, avant de répondre en soupirant :

– Oui, je te confirme qu'il y a au moins vingt réverbères dans ma rue, et que **cela ne me dérange pas du tout**.

Roger s'est tourné vers les autres **pour les prendre à témoin** :

– Comment vous expliquez ça ? Vingt réverbères à Paris, ça la dérange pas ; un seul réverbère ici, et **elle en fait toute une histoire** !

Il **haussait le ton** d'une **voix éraillée** qui me rappelait **Coluche** dans le sketch du père alcoolique. Il insistait :

– Pourquoi **on aurait pas droit** à un seul réverbère ?

– Parce que j'aime Paris comme une ville, avec ses **éclairages de nuit**. Et que j'aime votre région pour ses bois, ses étoiles et son silence. Voilà ce qui est unique ; voilà ce que vous devriez protéger !

J'avais l'impression de **tenir des propos sensés**. Alain, le bûcheron, a exprimé son **agacement** :

– Tu ne sais pas ce que c'est que de vivre à la campagne. Tu viens en touriste, entretenir tes petits rêves.

– **Comment ça, en touriste** ? **Je vis ici la moitié de l'année**. Je connais le village **depuis ma première enfance**, et mes problèmes de paysage valent vos problèmes de voitures. **J'en ai assez qu'on me regarde** comme une touriste, sous prétexte que **je ne suis pas née sur place** !

Dominique **a tenté** de calmer le jeu :

– Quand même, les réverbères, c'est rassurant pour une femme isolée. Avec tous les vagabonds ! Au moins, tu vois ce qui se passe devant chez toi.

J'ai levé les yeux au ciel :

– Mais qui vous raconte **ces sornettes** ? Les entreprises qui implantent ces éclairages avec votre argent ? **Je vous remercie pour votre attention** mais, tout ce que je vois d'inquiétant, depuis quelques jours, c'est cette lumière **blafarde** !

Je pourrais habiter ici depuis un siècle, ils me regarderaient toujours comme une **bête curieuse** ; mais j'ai parfois l'impression **qu'ils se moquent carrément de moi**. Alain **a porté** le coup de grâce :

– De toute façon, on était bien obligés d'installer le réverbère à cet endroit-là, à cause des ordures.

Dominique **s'est empressé de renchérir** :

il faut bien y voir clair you have to be able to see clearly
depuis ma fenêtre through my window
prévenue forewarned
on s'est bien gardé de m'annoncer they were careful not to tell me (about)
poivrot drunk/drunkard
brailler to yell
ils se plaignent au lieu de vous remercier they complain instead of thanking you
Franchement, ça me dégoûte Frankly, that disgusts me
pentes escarpées rugged slopes
peu accessibles barely accessible
à l'outillage moderne to modern equipment
ramassage du lait milk collection
coûte...plus cher is more expensive
conçues designed
autosuffisance self-sufficiency
imperméables impervious
planificateurs planners
les ont donc laissées gentiment s'éteindre therefore have let them quietly die out
Perchée Perched
sur sa clairière on its clearing
exploitation small farm
contrée the county
Pour s'y rendre à partir de l'auberge To get there from the inn
scierie sawmill
dégringole tumbles down
vermoulu worm-eaten
bruyante noisy
se déversent flow into
suintent seep
Dans le lit du torrent In the riverbed
herbes géantes giant plants
trèfles monstrueux enormous clovers
troncs d'arbres pourris rotted tree trunks

– C'est vrai, si quelqu'un vient jeter ses bouteilles ou ses papiers, **il faut bien y voir clair** devant les containers !

– Et il faut que je contemple tout cela **depuis ma fenêtre** ! Charmant spectacle ! Et grande délicatesse dans le procédé : non seulement on ne m'a pas **prévenue** du réverbère mais, quand je suis venue demander des explications, **on s'est bien gardé de m'annoncer** l'arrivée des poubelles. Sans doute parce que je ne suis qu'une touriste !

Roger, le **poivrot**, a trouvé le mot de la fin, redressant une nouvelle fois son visage rouge et indigné pour **brailler** dans ma direction :

– Voilà comment c'est ! On fait des choses pour les gens, et **ils se plaignent au lieu de vous remercier. Franchement, ça me dégoûte** !

En sortant du café, je me sentais moi-même assez dégoûtée. Dégoûtée par cette situation. Dégoûtée par le sentiment d'être pour toujours, ici, une étrangère.

Vendredi 16

En quelques années, l'agriculture a complètement disparu de cette montagne au climat sévère. Les **pentes escarpées** sont **peu accessibles à l'outillage moderne** ; le **ramassage du lait coûte** désormais **plus cher** que le lait ; les petites fermes **conçues** pour l'**autosuffisance** restent **imperméables** à toute possibilité de progression du chiffre d'affaires. Les **planificateurs** de l'industrie agroalimentaire **les ont donc laissées gentiment s'éteindre**, quand ils n'ont pas encouragé leur extinction. **Perchée sur sa clairière** au-dessus de la vallée, l'**exploitation** de Paul est la dernière de toute la **contrée**.

Pour s'y rendre à partir de l'auberge, il faut tourner à droite derrière la **scierie** abandonnée, prochainement transformée en musée du bois. Le sentier file près du torrent qui **dégringole** entre les pierres sombres. Il faut passer le pont **vermoulu**, puis grimper encore en longeant cette rivière **bruyante** dans laquelle **se déversent** les ruisseaux qui **suintent** de tout le versant. **Dans le lit du torrent**, des **herbes géantes**, des **trèfles monstrueux**, des **troncs d'arbres pourris**

foisonnement profusion
sous la loupe under the loupe
gorgée d'eau et de pourriture saturated with water and rot
se raréfie grows scarcer
sous-bois undergrowth
enceinte wall, enclosure
s'engouffre is swallowed up
Le pas ralentit The pace slows
se faufiler to thread one's way
pénétrer to enter (into)
silencieux quiet
bruissant noisy
chuchotement perpétuel constant rustling
fourrés thickets
froissement de branches rustling of branches
chevreuil deer
écureuil squirrel
minces rayons de lumière thin rays of light
voûte vault
ours en peluche teddy bear
mes souvenirs d'enfance my childhood memories
se confondent they merge/get mixed up (with)
vaste pénombre vast half-light
fugaces elusive
insaisissables imperceptible
lièvres hares
enfouie buried, tucked away
enfantine simple, childlike
entretenu maintained
je franchis *here:* step over
les bois d'eau wooden drainage conduits
qui coupent le sentier that cut across the path
facilitent facilitate
l'écoulement des pluies *here:* the drainage of rainwater
incrustée inlaid
aménagement development, improvement
rendre la nature moins hostile to make nature less hostile
a fini par se fondre ends up blending into

donnent à la végétation un air tropical. J'imagine des mondes habités sous ce **foisonnement** humide. Le cinéma fantastique m'a appris à regarder chaque détail comme un paysage **sous la loupe**.

Après quinze minutes d'ascension, le sentier devient moins escarpé ; la végétation **gorgée d'eau et de pourriture se raréfie** ; on a l'impression de sortir du **sous-bois** pour accéder aux portes de la vraie forêt. De très hauts sapins se dressent comme une **enceinte** sous laquelle **s'engouffre** le chemin. **Le pas ralentit** avec une sorte de respect, comme s'il fallait cesser de **se faufiler** près de la rivière et se faire humble pour **pénétrer** dans ce royaume. Sous les arbres centenaires, l'espace est à la fois **silencieux** et **bruissant** ; un **chuchotement perpétuel** provient des zones élevées où les oiseaux se répondent, mais aussi des **fourrés** où un **froissement de branches** signale parfois la présence d'un **chevreuil**, d'un renard ou d'un **écureuil**. Quelques **minces rayons de lumière** transpercent la **voûte** des branches.

À dix ans, j'adorais l'histoire de Michka : un petit **ours en peluche** s'enfuit de chez sa maîtresse ; il marche dans la neige avant de pénétrer timidement dans les bois. Les illustrations de ce livre m'ont toujours fait rêver. Dans **mes souvenirs d'enfance**, elles **se confondent** avec les premières images réelles de la forêt. Leur auteur, Féodor Rojankovsky, a vécu en Russie au début du siècle, avant de s'exiler en France puis en Amérique. Quand Michka s'enfonce sous les sapins, on aperçoit encore, derrière lui, la lumière du jour. Mais, devant lui, c'est la **vaste pénombre** où passent quelques animaux **fugaces, insaisissables** ; et j'éprouve un sentiment bizarrement poignant quand Michka s'immobilise devant ces **lièvres** qui s'enfuient, ces oiseaux posés sur les branches, cette nature froide et solitaire, **enfouie** comme un monde intérieur, cette nature **enfantine** pleine de questions sans réponse, où l'on sent la présence du rêve et de la mort.

À mon tour, j'avance sur le chemin **entretenu** par des générations de forestiers ; **je franchis les bois d'eau qui coupent le sentier** et **facilitent l'écoulement des pluies**. Et voilà précisément ce qui me touche : cette présence humaine **incrustée** dans la végétation ; l'impression que chaque **aménagement** destiné à **rendre la nature moins hostile a fini par se fondre** dans le paysage.

buses en béton concrete pipes
gouttières en métal metal drainpipes
futaie forest of tall trees
sans me tromper *here:* without taking a wrong turn
carrefour junction
broussaille undergrowth
éboulis masses of fallen rocks
cimes tops
dressées vers la lumière raised toward the light
muret effondré low, crumbling wall
répéterait would repeat
une telle manifestation de plaisir such a manifestation of pleasure
se noue is established
sons sounds
gargouillis gurgling
rigole rivulet
sable sand
grès rose pink sandstone
surplombe juts out over, overhangs
lignes de crête the outline of the (mountain) crests
toit de vieilles tuiles roof of old tiles
dessine des vagues *in effect:* is wavy
poutres beams
creux hollows
bombements bulges
À l'étage On the second floor
sont percées *here:* are bored
noirci par les intempéries blackened by bad weather/storms
four à pain bread oven
vieux nez old nose
herbe drue thick grass
fougères ferns
tapis mousseux mossy carpet
ballons round-topped mountains
versants bleutés bluish slopes
effluves résineux resinous aromas
mon souffle peine my breathing becomes labored
potager vegetable garden
poussent are growing
haricots beans
salades lettuces
enclos protégé des bêtes enclosure protected from animals
Adossée Buttressed
grenier à foin hay loft

Aujourd'hui, on remplace les anciens ponts de pierre par des **buses en béton**, les bois d'eau par des **gouttières en métal** qui ne se prêtent guère à la patine et donnent à la **futaie** des airs de banlieue. Mais toute une partie du massif conserve ses signaux secrets. Je tourne **sans me tromper** à chaque **carrefour** ; je retrouve le bon chemin dans la **broussaille** ; je longe des ravins où les troncs s'accrochent aux **éboulis, cimes dressées vers la lumière.** Puis les branchages commencent à s'espacer, la prairie n'est plus très loin.

Un **muret effondré** sépare la forêt de la clairière. Au moment de le franchir, un rire joyeux me saisit ; non pas un rire moqueur, mais un rire clair de satisfaction devant ce paysage impeccable. « Ce doit être sexuel », **répéterait** mon ami pour qualifier **une telle manifestation de plaisir**, chaque fois qu'un accord subtil **se noue** entre les formes, les couleurs, les **sons** et la texture de l'air parfumé. Dans la prairie, j'entends le **gargouillis** d'une **rigole** roulant son **sable** de **grès rose** au milieu des herbes. Un peu plus loin se dresse la ferme de Paul qui **surplombe** l'horizon et ses **lignes de crête**. Le **toit de vieilles tuiles dessine des vagues**, comme si certaines **poutres** s'étaient enfoncées pour donner à la construction les **creux** et les **bombements** d'un corps vivant. **À l'étage** quelques fenêtres de chambres **sont percées** dans la façade en bois **noirci par les intempéries.** Au pied de la maison, prolongeant la cuisine, le **four à pain** s'avance à l'extérieur comme un **vieux nez**, près des tas de bûches méthodiquement rangées pour l'hiver.

L'hiver commence mais la neige n'est pas encore là, et je marche dans l'**herbe drue** mêlée de **fougères** odorantes. Je franchis d'autres rigoles avant de m'asseoir un instant sur le **tapis mousseux**, pour observer au loin les courbes du massif : une ondulation de **ballons**, de **versants bleutés** couverts de sapins jusqu'à l'extrême flou de l'horizon. Tout cela me fait infiniment plaisir et me donne envie de rire à nouveau, d'un beau rire de plénitude répondant à toutes ces parties de mon être que sont le ciel, les champs et les feux de bûcherons aux **effluves résineux**.

Dans les derniers mètres, plus raides, **mon souffle peine** un instant. Je longe le **potager** où **poussent haricots**, **salades** et pommes de terre, au milieu d'un **enclos protégé des bêtes. Adossée** à la ferme, une passerelle en bois accède à l'entrée du **grenier à foin**

montaient brought up
les vidaient empty them
toiles d'araignée spider webs, cobwebs
faucher to mow
fourrage fodder
troupeaux herds
étable stable
tas de fumier pile of manure
dégoulinante oozing, dripping
mêlée aux brindilles de paille mixed with sprigs of straw
déchet waste
rousses russet
un rien d'arrogance a hint of arrogance
cou neck
agité de saccades régulières agitated with steady jerks
s'il n'y a rien d'intéressant if there's anything interesting
piquent peck
vers worms
de crainte d'avoir raté quelque chose for fear of having missed something
appuyés propped
deux paires de sabots two pairs of wooden clogs
clapiers hutches
je risque une tête I stuck my head
léchant leur babines licking their chops
mangeoire manger
Harnachées Harnessed
à l'abri de cette charpente sheltered by this roof
traite milking
mouchetés spotted
au pelage marron with a brown coat
morceau de plastique orange piece of orange plastic
agrafé stapled
vaches punks punk cows

qui occupe toute la hauteur de la maison. Les paysans **montaient** de grands sacs d'herbe fraîche et **les vidaient** pour l'hiver dans ce vaste espace sombre, plein de poutres et de **toiles d'araignée**. Un fermier de la plaine vient encore chaque été **faucher** cette clairière ; il emporte une partie du **fourrage** pour ses **troupeaux** après avoir rempli le grenier de Paul, qui conserve deux vaches – deux vraies vaches de montagne que je visite régulièrement dans l'**étable**.

Avant d'entrer, je sens l'odeur du **tas de fumier** et, je ne sais pourquoi (mon côté Marie-Antoinette ?), cette odeur me rend joyeuse elle aussi. Je n'éprouve aucun dégoût pour cette matière **dégoulinante** et noire, **mêlée aux brindilles de paille**. La question du **déchet** ne se pose pas dans les mêmes termes qu'à l'« espace propreté ». À l'angle de la ferme, six poules noires et **rousses** surgissent autour d'un coq et s'approchent avec **un rien d'arrogance**, le **cou agité de saccades régulières**. Je les sens impatientes de voir **s'il n'y a rien d'intéressant** de ce côté où elles ne sont pas venues depuis un quart d'heure. Elles **piquent** des **vers** dans le sol ; la dernière arrive à toute vitesse, **de crainte d'avoir raté quelque chose**, tandis que j'entre sous la remise. Des outils sont **appuyés** contre le mur ; **deux paires de sabots** sur le sol. Quelques lapins méditent dans leurs **clapiers**.

Une seconde porte donne sur la cuisine où Paul doit s'ennuyer près du fourneau. Avant de le rejoindre, **je risque une tête** dans l'étable. Les deux vaches se tournent vers moi en **léchant leurs babines** pleines de foin, puis elles se penchent à nouveau sur la **mangeoire. Harnachées** d'un collier en bois, elles demeurent tout l'hiver **à l'abri de cette charpente**. Leurs journées s'y écoulent, rythmées par la **traite** du matin et la traite du soir. Ce sont deux vaches nerveuses et musclées : la Vosgienne au dos blanc et aux flancs noirs finement **mouchetés** ; la Montbéliarde **au pelage marron**. Je crois vraiment qu'elles se sentent chez elles. La Vosgienne s'allonge tranquillement sur le flanc et me regarde fixement ; l'autre tend sa grosse langue vers l'herbe sèche, encore verte. Leurs conditions d'existence me paraissent en tous points meilleures que dans une exploitation moderne ; mais j'aimerais savoir ce qu'elles en pensent. Seul signe du temps, un anachronique **morceau de plastique orange** est **agrafé** à leur oreille. Cette plaque numérotée leur donne un petit air de **vaches punks**.

las weary
traînant une jambe derrière l'autre dragging one leg behind the other
élocution speech
quitter ses pantoufles *here:* taking off his slippers
racler scrape
bac à truites tub of trout
poulaillers henhouses
cochon rose pink pig
auge trough
truie sow
planches wooden floor
me souffle des mots tendres whispers tender words to me
il la fera tuer he will have her killed
il va s'y prendre he's going to set about it
boucher butcher
au moyen d'un pistolet by means of a pistol
Nous bavardons We chat
marquantes memorable
il hoche la tête nods his head
raccourci shortcut
hêtre beech (tree)
Je m'interromps I stop
surprise amazed
choquée shocked
semble le flatter seemed to stroke it
qui vous l'a installé who installed it for you
du haut de la commune up high in the community
défavorisés discriminated against

Au moment de quitter l'étable, je vois Paul s'approcher, l'air toujours un peu **las, traînant une jambe derrière l'autre.** Il apprécie les visites et me salue en souriant. Tout est lent chez lui, son **élocution**, sa façon de **quitter ses pantoufles** pour enfoncer les pieds dans ses sabots qui recommencent à **racler** le sol. Silhouette voûtée, il m'entraîne au jardin sans parler beaucoup. On pourrait avoir l'impression qu'il déprime, mais il est assez fier de sa ferme, de son **bac à truites** près duquel nous passons, de ses **poulaillers** et du **cochon rose** qu'il me présente dans son **auge** ; une jolie **truie** adolescente dont le groin humide passe à travers les **planches** et **me souffle des mots tendres.** Paul la traite comme une petite reine ; **il la fera tuer** le mois prochain. Je lui demande comment **il va s'y prendre** : le **boucher** s'en chargera, **au moyen d'un pistolet.**

Nous bavardons un moment. Je rappelle à Paul quelques anecdotes sur mon oncle qui venait déjà visiter son père. Je voudrais prouver que je suis une fille du pays, mais ces histoires semblent moins **marquantes** pour lui que pour moi ; **il hoche la tête**, approuve vaguement ; je ne suis pas certaine qu'il se souvienne vraiment de mon oncle. Il préfère me raconter que le renard a tué trois poules. Il en parle comme s'il s'agissait d'un renard particulier, d'un renard qu'il connaît personnellement ; ce renard du roman qui ressurgit d'une ferme à l'autre, d'une époque à l'autre.

Au moment de quitter la ferme, Paul me raccompagne vers le **raccourci** qui file tout droit au village. Comme nous approchons du grand **hêtre** planté de l'autre côté de la ferme, j'ai la surprise de découvrir un réverbère du même modèle que le mien. **Je m'interromps, surprise, choquée** que le développement de l'économie ait imposé l'éclairage public jusque dans cette prairie d'altitude. Paul marche vers le pylône et se tourne vers moi, soudain détendu et presque radieux :

– Moi aussi, j'ai mon réverbère !

Il le touche de sa main droite et **semble le flatter** comme un animal tandis que je demande timidement :

– C'est… c'est la mairie **qui vous l'a installé** ?

– Bien sûr ! Quand j'ai su qu'ils amélioraient l'éclairage, en bas, je suis descendu voir le maire, lui expliquer que j'étais un citoyen comme les autres et que les habitants **du haut de la commune** ne devaient pas être **défavorisés** !

est venu m'accueillir came to greet me
bateaux vitrés glass ships
légèreté lightness
semble vouloir trancher seems to want to stand out against
lourdeur heaviness
acier steel
dénigrer to denigrate
vieillotte quaint
mes penchants d'utilisatrice my tendencies to be a user
syndicalistes hargneux aggressive union activists
en grève on strike
ton détendu relaxed tone
me pilote le long des couloirs steers me through the hallways
Ils sont une dizaine There are about 10
portent une cravate are wearing a tie
lunettes glasses
porte sur concerns
exigent require
état d'esprit state of mind
aborde is facing
interventions *here:* presentations
fret ferroviaire rail freight
se porte mal *here:* is not doing well
choix des entreprises choice of businesses
se porte *here:* is falling
sur la route on the highway
cheminot railroad worker
camionneur trucker
avenir future

Mardi 20

Jean-Bertrand **est venu m'accueillir** dans le hall du « 34 » (les habitués désignent ainsi familièrement le 34, rue du Commandant-Mouchotte, siège de la SNCF, édifié au-dessus des voies de la gare Montparnasse). Les architectes aujourd'hui adorent les édifices transparents : la pyramide du Louvre, l'Institut du Monde arabe, l'hôpital Pompidou, le siège de France Télévision... La SNCF est l'un de ces immenses **bateaux vitrés** dont la **légèreté semble vouloir trancher** sur la **lourdeur** des rails en **acier**, la charge terrienne des wagons de marchandises, le poids humain des cent quatre-vingt mille salariés. Mais je ne suis pas venue pour **dénigrer** cette entreprise, ni pour m'accrocher à une idée **vieillotte** du « service public » ; je vais rencontrer quelques responsables du groupe et leur offrir mon expertise en matière de communication. Secrètement, **mes penchants d'utilisatrice** me rapprocheraient plutôt des **syndicalistes hargneux** qui se mettent **en grève**, paralysent le réseau et sont, paraît-il, coupables de toutes les difficultés ; mais ma carrière de femme moderne s'accommode de la transparence du 34. J'apprécie le **ton détendu** de Jean-Bertrand qui **me pilote le long des couloirs**, vers l'une des réunions où se discute l'avenir de l'entreprise.

Ils sont une dizaine assis autour de la table équipée de micros, de terminaux d'ordinateurs. La plupart **portent une cravate**, mais le choix des **lunettes** montre une part de fantaisie qui les distingue des ingénieurs d'autrefois ; trois femmes sont également présentes. La réunion d'aujourd'hui **porte sur** le transport des marchandises. Jean-Bertrand m'a proposé d'y assister, car nos projets **exigent** que je saisisse dans quel **état d'esprit** la SNCF **aborde** son développement et son avenir. Tout ce que j'entends conservera un caractère confidentiel.

D'emblée, plusieurs **interventions** résument les données du problème : malgré les déclarations des gouvernements et les programmes de l'administration européenne, le **fret ferroviaire se porte mal**. Le **choix des entreprises se porte** massivement **sur la route**. Si je comprends bien, la comparaison est simple : le **cheminot** travaille en moyenne mille cinq cents heures par an ; le **camionneur**, plus de deux mille heures pour un salaire inférieur de 30 %. *L'**avenir** est donc au transport routier.*

avènement advent
nul ne s'étonne no one is surprised
cadre junior executive
d'une trentaine d'années around 30 years old
lunettes d'écaille horn-rimmed glasses
poids lourds tractor trailers, heavy trucks
sillonnent crisscross
porte à porte door to door
soumis à des règles et à des contrôles embarrassants submit to cumbersome rules and controls
assainissement financier financial streamlining/stabilization
propre à décourager likely to put off/discourage
de futures actionnaires future shareholders
lâché dropped
sa coupe stricte his severe haircut
ses cheveux gris his gray hair
concurrence competition
tout relâchement des activités « fret » any slackening in freight transportation
s'engouffreront will rush in
même à perte even at a loss
ferait mieux would be better off
jeune loup young wolf
nous n'échapperons pas we will not escape
déréglementation deregulation
exigence de souplesse *here:* the need for flexibility
rétorque retorts
remettre en selle put back into the saddle
transfert des marchandises transfer of merchandise
d'aller plus vite à un coût plus bas to go faster at a lower cost

Je songe que, trente ans plus tôt, la conclusion strictement inverse se serait imposée : « L'avenir est donc au transport ferroviaire. » On annonçait l'**avènement** d'une « société des loisirs » où chacun travaillerait moins et vivrait mieux. Tout cela est bien fini, mais **nul ne s'étonne** du changement de perspective. Un **cadre d'une trentaine d'années**, portant des **lunettes d'écaille**, prend la parole pour rappeler les conclusions d'une étude récente :

– Aujourd'hui, la « libre circulation des marchandises », principe fondateur de l'Union européenne, est assurée par les **poids lourds** qui **sillonnent** les autoroutes et assurent le transport de **porte à porte**, bien mieux que le réseau ferré, **soumis à des règles et à des contrôles embarrassants.** L'équipement des petites gares est en pleine décomposition, quand les lignes ne sont pas déjà fermées. Dans la perspective d'un **assainissement financier**, la logique voudrait qu'on se débarrasse purement et simplement d'une activité inutilement coûteuse, **propre à décourager de futurs actionnaires.**

Le mot est **lâché**. Un ancien de la maison (si j'en crois **sa coupe stricte** et **ses cheveux gris**) rappelle que l'heure n'est pas à la privatisation, même si l'ouverture à la **concurrence** est programmée. D'après lui, **tout relâchement des activités « fret »** de la SNCF laissera une porte ouverte par où d'autres **s'engouffreront,** car Bruxelles encourage cette activité – **même à perte.** L'entreprise **ferait mieux** de moderniser ses installations.

Le **jeune loup** insiste :

– L'Europe a vingt ans de retard sur les États-Unis, mais **nous n'échapperons pas** à la même évolution : la **déréglementation** des transports, l'**exigence de souplesse** confèrent un avantage incontestable et définitif à la route.

Son contradicteur **rétorque** que l'Europe n'est pas l'Amérique, que la multiplication des poids lourds a des conséquences sur l'environnement. Les exigences écologiques pourraient **remettre en selle** le transport ferroviaire – au moins sous forme de combiné rail-route. Lunettes-d'écaille n'est pas d'accord :

– Même dans le cas du « transport combiné », le **transfert des marchandises** du camion au train et du train au camion représente une complication inutile, quand l'exigence est **d'aller plus vite à un coût plus bas.** D'ailleurs, on le sait bien : un doublement du fret

quasiment almost
production de gaz à effet de serre production of greenhouse gas
d'un bout à l'autre de la table from one end of the table to the other
chimères pipe dreams, idle fancies
écartées *here:* dismissed
d'un revers de main with the back of his hand
martèle drummed, pounded, hammered
pur dogme pure dogma
faire preuve to show
ringardise *in effect:* dated idea
abattre beat down
doxa doctrine
lisse smooth
poupée de porcelaine china doll
si j'ose dire I dare say
poids lourd Here we have a pun: the boxing reference underscores the heavyweight influence exercised by the Calberson corporate giant, but she is also talking of the increased heavy truck traffic.
avenir future
nous investirons we will invest
quinquagénaire fifty year-old
osseux bony
soucieux worried, concerned
prestations services
entreprise de transports transportation company
animée par de vrais débats enlivened by real debates
en spectatrice as an observer
mon avis my opinion
troubler le consensus to challenge the consensus
dire ce que personne n'ose dire to say what no one dares to say
ajouter to add
avant de me rallier à l'avis général before coming around to the general opinion

ferroviaire serait **quasiment** sans incidence sur le trafic routier et la **production de gaz à effet de serre.**

Les mots passent **d'un bout à l'autre de la table**. Les vertueuses exigences affirmées d'un côté (« protection de l'environnement », « combiné rail-route ») semblent des **chimères, écartées d'un revers de main** par l'homme aux lunettes d'écaille qui **martèle** le **pur dogme** de l'économie nouvelle, veut **faire preuve** de courage et d'audace contre la **ringardise**, **abattre** sans pitié les secteurs peu rentables, augmenter le profit, travailler pour des actionnaires à venir. Je me demande un instant au nom de qui il parle, quelle décision officielle doit faire de ces obsessions la **doxa** de l'entreprise publique... puis je me laisse porter vers des découvertes plus étranges :

– De toute façon, précise une petite blonde à lunettes, **lisse** comme une **poupée de porcelaine**, ce débat est dépassé. Je n'ai pas besoin de vous rappeler que la SNCF investit *elle-même* dans le transport routier à travers sa filiale Calberson. Avec vingt-deux mille salariés dans le monde, nous sommes – **si j'ose dire** – un « **poids lourd** » dans ce domaine... Il ne faut donc pas penser en termes de « rail », mais en termes de chiffre d'affaires. Si les camions représentent l'**avenir**, alors **nous investirons** davantage dans la route !

– Ce qui rejoint nos options en matière de trafic voyageurs, approuve un **quinquagénaire osseux, soucieux** de la cohérence des projets. Comme vous le savez, la SNCF n'est plus une compagnie de transports publics, mais une *entreprise de voyages*. Nous vendons des **prestations**, des combinaisons train-avion, des locations de voitures, des réservations d'hôtel, et il serait logique d'adopter le même discours pour les marchandises : nous ne sommes pas une compagnie de fret ferroviaire, mais une **entreprise de transports.**

Jean-Bertrand Galuchon me regarde en souriant. Il semble satisfait de montrer son entreprise **animée par de vrais débats**, auxquels son regard m'invite à prendre part. En principe, je suis venue **en spectatrice** ; je n'ai rien à dire dans cette réunion technique. Pourtant, formulé avec suffisamment de tact, **mon avis** fera l'effet d'une remarque utile et concrète. Je connais cette façon de me faire apprécier : **troubler le consensus, dire ce que personne n'ose dire, ajouter** du contenu au débat **avant de me rallier à l'avis général.** D'un signe discret, j'indique à Jean-Bertrand que j'aimerais

prendre la parole to say a word
Profitant Taking advantage
Son carnet d'adresses *in effect:* Her Rolodex®, Her address book
Un brin excitée A bit excited
j'arbore I wear
citoyens sont sensibles citizens/people are sensitive
comme la vôtre like yours
témoignage personnel personal testimony/account
en passe d'être saccagé in the process of being wrecked
en pâtit is suffering as a result
Je me suis exprimée I expressed myself
Pourtant Nevertheless, Even so
je suis en train de mentir *literally:* I am lying, a little bit of subtle wordplay on the fact that Florence's falsehood concerns the attitudes toward train service in her rural commune
ils se réjouissent they are delighted (by)
j'ai tapé dans le mille I have hit the bull's eye
si j'en crois if I can believe
amicaux friendly
réfléchit thinks
Vous soulevez You raise
gestion rigoureuse rigorous/scrupulous management
cela ne nous empêche pas de that doesn't prevent us from
concevoir conceive, design
actions emblématiques symbolic initiatives
nous montreront comme les meilleurs garants will portray us as the best guarantors
concours contests

prendre la parole. Profitant d'un silence, il annonce à ses collègues :

– Je ne vous ai pas présenté Florence : une grande dame des relations publiques. **Son carnet d'adresses** est inestimable ! Nous avons des projets ensemble, et je crois qu'elle aimerait dire un mot.

Je suis allée chez le coiffeur et je me sens jolie. Au milieu de ces cadres, je me sens surtout très femme d'action. **Un brin excitée, j'arbore** un sourire sympathique avant de me lancer :

– Oui, tout simplement... Pardonnez-moi d'intervenir dans ce débat d'experts où je n'ai aucune compétence mais, si vos options semblent parfaitement logiques en termes financiers, la communication a d'autres exigences. Les usagers de la SNCF, les **citoyens sont sensibles** aux questions d'environnement, ils sont attachés à l'idée du transport par rail ; et c'est aussi l'intérêt d'une grande entreprise **comme la vôtre** que de marquer son engagement pour des causes aussi nobles et – en un sens – très *modernes* !

Le dernier mot leur plaît. J'en profite pour passer au **témoignage personnel** :

– Moi-même, je passe mes week-ends dans l'Est de la France, dans un charmant village **en passe d'être saccagé** par le passage continuel des poids lourds, aggravé par la fermeture d'une ligne de fret SNCF. Et je peux vous dire que, là-bas, des gens souffrent, que votre image **en pâtit**...

Je me suis exprimée avec une sincérité stimulée par mes propres sentiments. **Pourtant, je suis en train de mentir.** Les gens de ma commune et des environs ne souffrent pas du tout. Au contraire, **ils se réjouissent** de l'élargissement annoncé de cette route. Je parle pour moi-même, pour moi seule, mais **j'ai tapé dans le mille, si j'en crois** les sourires de ces cadres soudain intéressés, **amicaux**, attentifs. Ma réflexion leur paraît judicieuse. Le jeune responsable aux lunettes d'écaille **réfléchit** un instant avant de répondre :

– **Vous soulevez** une question essentielle. Même si notre trafic fret devient symbolique, c'est un symbole qui compte. Et voilà précisément votre rôle. Une **gestion rigoureuse** nous oblige à diminuer nos activités dans le secteur marchandises ; **cela ne nous empêche pas de concevoir** des **actions emblématiques** qui **nous montreront comme les meilleurs garants** de la protection de la nature : on peut imaginer des **concours**, des films, une campagne

soucieux de cohérence concerned about consistency
Disons qu'il en va Let's say that the same goes for
nous affichons notre solidarité we declare our solidarity
notre façon d'être sur le terrain our way of being on the field
me serrer la main to shake my hand
se réjouissent are delighted
chargée du dossier responsible for the project
menacée threatened
honteuse ashamed
j'agis contre eux I'm acting/working against them
les trahir betraying them
En début du soirée Early in the evening
coupe de champagne glass of champagne
mon intervention *here:* talk, presentation
« **sur les rails** » on track
Il devrait permettre à ma boîte It should enable my company/agency
rouler confortablement to roll comfortably along
la Closerie des Lilas historic restaurant within walking distance of the SNCF headquarters, near the Gare Montparnasse, where the in-crowd hobnobs
d'avoir mis en évidence for having highlighted

positive sur le train.

Il a parlé de mon « rôle ». Je suis satisfaite. L'homme qui comparait, tout à l'heure, la SNCF à une agence de voyages reprend la parole, toujours **soucieux de cohérence** :

– **Disons qu'il en va** du fret comme du trafic voyageurs. D'un côté, nous concentrons notre activité sur quelques grandes lignes à forte valeur ajoutée. De l'autre, **nous affichons notre solidarité** – au moins dans le discours – avec les régions qui doivent financer la maintenance des lignes secondaires. C'est **notre façon d'être sur le terrain**...

– Et de nous afficher comme garants du protocole de Kyoto, reprend un autre.

À la fin de la réunion, plusieurs responsables viennent **me serrer la main** et me félicitent. Ils **se réjouissent** de me voir **chargée du dossier**. Au moment de sortir, le petit homme à lunettes d'écaille me demande :

– Dites-moi, quelle est cette ligne de train **menacée**, près de chez vous ?

Je lui raconte l'histoire du tunnel ferroviaire prochainement fermé, avec des conséquences pour la circulation dans ma vallée. Je me sens vaguement **honteuse**, car je sais que certains villageois se réjouissent de cette perspective et que **j'agis contre eux**, à cet instant. Malgré le conflit qui nous oppose, j'ai le sentiment de **les trahir**, d'abuser de mes relations pour assurer un confort très personnel.

Jeudi 22

En début de soirée, j'ai retrouvé Jean-Bertrand pour boire une **coupe de champagne** dans un café de Montparnasse. Comme il me l'a aussitôt confirmé, **mon intervention** d'hier a fait bonne impression ; le contrat est « **sur les rails** ». **Il devrait permettre à ma boîte** de **rouler confortablement** jusqu'à la fin de l'année prochaine. Stimulée par cet oxygène, j'ai raccompagné mon nouvel ami sur le boulevard et nous avons décidé de dîner ensemble, à **la Closerie des Lilas**. Jean-Bertrand m'a remerciée **d'avoir mis en évidence** la

trouver un équilibre fragile find a fragile equilibrium
Vu sous cet angle Seen from this angle
jeu parfois cynique sometimes cynical game
Disons plutôt Let's say instead
On croit à des valeurs *here:* We hold values
s'en réclamer *in effect:* claim to act according to them
tout en sachant all the time knowing/understanding
un sacré don d'assimilation a heck of a gift/talent for assimilation
j'essaie de tout synthétiser I try to synthesize everything
mes petits cauchemars de cliente my little nightmares as a client
J'aurais pu défendre n'importe quel argument I could have defended any argument
Il me fallait plaire à cet homme I had to make this man like me
me montrer showing myself to be
enjouée playful
complice complicit
paradoxale paradoxical
uniquement pour atteindre mon but for the sole purpose of achieving my goal
apparence chaleureuse guise of warmth
soulignant emphasizing
en touchant les dividendes receiving the dividends
d'une rente astucieusement placée from a shrewdly invested private income/annuity
démantèlement dismantling, destruction
somme rondelette quite tidy/hefty sum
saccagée wrecked, devastated
D'un côté mes affaires On the one hand my business
de l'autre mes rêveries on the other my daydreams
virevoltait twirled
l'on flâne we stroll
discrètement rénovée discreetly renovated
conformée aux normes de la cuisine rapide complying with fast-food standards
se consacrait plutôt focused for the most part
nous a fait remarquer got us noticed
Dans les années quatre-vingt During the 1980s

difficulté de son travail : **trouver un équilibre fragile** entre la réalité économique de l'entreprise et son image publique. Ayant dit ces mots, il a précisé en riant :

– **Vu sous cet angle**, la communication est un **jeu parfois cynique.**

J'ai répondu avec ferveur :

– Ce n'est pas du cynisme. **Disons plutôt** : les contradictions de l'âge adulte. **On croit à des valeurs** ; on peut même **s'en réclamer… tout en sachant** que la réalité n'est pas si simple.

– Vous avez **un sacré don d'assimilation.**

– Disons plutôt que **j'essaie de tout synthétiser** : mon métier de communicante, vos exigences financières, sans oublier **mes petits cauchemars de cliente** de la SNCF !

J'aurais pu défendre n'importe quel argument avec la même sincérité. **Il me fallait plaire à cet homme** parce qu'il représentait une entreprise de 15 milliards d'euros. J'étais donc capable de **me montrer enjouée, complice**, amicale, **paradoxale, uniquement pour atteindre mon but** ; et je donnais à ce jeu de séduction une **apparence chaleureuse, soulignant** le plaisir d'être ensemble et de parler librement. Tout cela pour, bientôt, me retirer tranquillement dans ma petite maison, fendre mes bûchettes et méditer au coin du feu **en touchant les dividendes d'une rente astucieusement placée.** Je voulais bien apporter mon concours au **démantèlement** de la SNCF, à lui imprimer une touche d'humanisme pour gagner enfin cette **somme rondelette** et disparaître dans ma campagne – elle-même **saccagée** par le démantèlement de la SNCF auquel j'aurais contribué. **D'un côté mes affaires, de l'autre mes rêveries,** et cette énergie qui **virevoltait** d'une illusion à l'autre.

Il a toujours fallu que je vive ainsi : là-bas dans ma légende, au cœur du paysage enchanté ; ici, dans l'énergie de la ville où tout se joue : l'argent, le pouvoir, les contrats, les carrières ; cette ville où **l'on flâne** pour aller manger des huîtres sur les boulevards, en direction d'une jolie brasserie Belle-Époque, **discrètement rénovée** et **conformée aux normes de la cuisine rapide.**

Mon agence, au début, **se consacrait plutôt** aux films d'avant-garde, aux concerts de rock. On organisait des soirées underground un peu chic. Progressivement, cette spécialité artistique **nous a fait remarquer** par une nouvelle clientèle. **Dans les années quatre-vingt,**

commençaient à rêver de rejoindre began to dream of meeting up with
grande famille du show-business great show-business family
côté bohème bohemian side
assurait sa réputation assured its reputation
soirées branchés trendy parties
séminaires d'entreprise corporate seminars
de n'avoir pas d'horaires not to have set hours
d'être vaguement connue to be somewhat/vaguely well-known
de fréquenter des gens passionnants to associate with interesting people
des endroits sélects (to frequent) exclusive places
me traversaient l'esprit went through my mind
ma prise par l'épaule took me by the shoulder
j'ai failli me raidir I almost stiffened
je me suis dégagée I freed myself
pour passer la porte à tambour to go through the revolving door
au son du piano to the sound of the piano
j'ai salué quelques visages de connaissance I greeted several familiar faces
grand brun ténébreux tall, brooding, dark-haired man
qui prenait un verre au bar who was having a drink at the bar
vrai beau gosse really handsome kid
bac scientifique avec mention très bien *sarcastic comment:* Florence assumes that the young man has led a charmed life, beginning with earning his *bac* (high-school diploma) in science and math with the highest honors, the pinnacle of youthful attainment, and then following an easy path to business success.
éclataient manifested themselves
choix du costume choice of suit
joues encore tendres still tender cheeks
manage an Americanism used sarcastically, instead of the normal verb *gère* (manages)
vraie réussite française real French success story
éminence grise person who exercises unofficial power
qui va nous épauler who is going to help us
réalisateurs (film) directors
a vu le jour was coined

commerçants et chefs d'entreprise **commençaient à rêver de rejoindre** la **grande famille du show-business.** Le **côté bohème** de l'agence **assurait sa réputation**, et notre champ d'activité s'est élargi. Des soirées d'avant-garde nous avons glissé vers les **soirées branchées**, puis vers les soirées de mode, puis vers les **séminaires d'entreprise** qui constituent désormais une bonne part de notre activité. Certains jours pourtant, quelques remontées d'ivresse parisienne me persuadent d'accomplir les plaisirs dont je rêvais à vingt ans : **de n'avoir pas d'horaires, d'être vaguement connue, de fréquenter des gens passionnants** et **des endroits sélects**, avant de rejoindre mes prairies, dans un équilibre existentiel idéal.

Tandis que ces pensées **me traversaient l'esprit**, Jean-Bertrand **m'a prise par l'épaule.** Un instant **j'ai failli me raidir** ; je ne suis pas une call-girl, quand même… Heureusement, son geste restait assez léger pour autoriser une interprétation amicale, liée à l'agrément de dîner ensemble après une bonne négociation. Gardant ma bonne humeur, **je me suis dégagée pour passer la porte à tambour** et entrer **au son du piano** dans l'établissement bondé où **j'ai salué quelques visages de connaissance.**

Tandis que nous attendions notre table, Jean-Bertrand s'est approché d'un **grand brun ténébreux qui prenait un verre au bar** ; un **vrai beau gosse** de trente ans auquel on devinait que tout avait réussi : un **bac scientifique avec mention très bien**, des études commerciales en Amérique, un premier poste de directeur financier… La bonne éducation et la bonne santé bourgeoises **éclataient** dans le **choix du costume**, les chaussures anglaises, la cravate, les **joues encore tendres.** Jean-Bertrand s'est tourné vers moi pour les présentations :

– Voici Mathieu.

Dans ce genre de famille, pas de Kevin ni de Madisson. Jean-Bertrand poursuivait :

– Mathieu **manage** une entreprise d'éclairage public : Lumicom, une **vraie réussite française…** Mathieu, je te présente Florence, une **éminence grise** du monde *people* **qui va nous épauler** dans la communication du groupe.

Au début de l'agence, on ne parlait jamais de *people*, mais d'acteurs, de chanteurs, de **réalisateurs.** Le mot **a vu le jour** pour

dont la principale fonction est d'être célèbre in which the main thing is to be famous
j'étais happée par I was swallowed up by
lèvres charnues et souriantes full and smiling lips
dispensaient *here:* gave
précisions details
Nous équipons We equip/provide
qui ne disposent pas encore which do not yet have
la répulsion s'est mêlée à la fascination repulsion was mixed with fascination
mon pire ennemi my worst enemy
bien élevé well-bred
chantait à appealed/sounded good to
Il ne doutait pas He didn't doubt
surcroît de increase in, an extra dose of
essor development/success
bien commun common good
limites *here:* used colloquially as an adjective meaning "barely admissible"
avantages en nature in-kind payments
s'était peu à peu détendu had relaxed little by little
élargi à des notions plus subtiles extended to more subtle notions
grimpait climbed
courbe de croissance growth curve
trous obscurs obscure holes
brumeuse foggy
Est-ce qu'au moins ton bled est équipé? At the very least, is your village equipped?
qui me va si bien that suited me so well
mettre en valeur to highlight
C'est une experte She's an expert

désigner une nouvelle catégorie sociale **dont la principale fonction est d'être célèbre**, en passant régulièrement à la télévision et dans les journaux qui parlent de télévision. Tout en réfléchissant à ce glissement vulgaire, je trouvais Mathieu terriblement séduisant. Tandis que Jean-Bertrand commandait trois coupes de champagne, **j'étais happée par** ces yeux sombres, ces **lèvres charnues et souriantes** qui me **dispensaient**, d'une voix délicatement masculine, quelques **précisions** sur Lumicom :

– **Nous équipons** les routes de campagne, toutes ces zones **qui ne disposent pas encore** d'éclairage public.

Je me suis soudain rappelé la camionnette Lumicom, venue réparer mon réverbère, et **la répulsion s'est mêlée à la fascination.** Devant moi se tenait **mon pire ennemi** : un jeune homme **bien élevé**, beau, énergique, sincère et consciencieux dans son métier. Sa voix **chantait à** mon oreille. **Il ne doutait pas** d'apporter au monde un **surcroît de** modernité, de confort, de sécurité ; depuis le plus jeune âge, il avait appris que l'**essor** de son entreprise contribuerait au **bien commun** ; et j'étais certaine qu'il appréciait également le charme des vieux villages. Peut-être même, au début, avait-il trouvé ces implantations de réverbères excessives ; peut-être avait-il jugé un peu ***limites*** les méthodes de séduction employées auprès des municipalités (cadeaux, **avantages en nature**...). Son sens de la vertu **s'était peu à peu détendu, élargi à des notions plus subtiles**, tandis que **grimpait** la **courbe de croissance** de ses revenus. Jean-Bertrand s'est tourné de nouveau vers nous en précisant :

– Mathieu apporte la lumière dans les **trous obscurs**... comme cette campagne **brumeuse** où Florence adore passer ses week-ends. **Est-ce qu'au moins ton bled est équipé** ?

J'ai souri gentiment, avec cette fausse chaleur **qui me va si bien**, tandis que mon interlocuteur de la SNCF a cru bon d'ajouter :

– En tout cas, Mathieu, si tu cherches quelqu'un pour **mettre en valeur** le côté écolo et humain de ton entreprise, parle avec Florence. **C'est une experte.**

sous le règne in the reign
économie d'escroquerie swindle economy
époque era
a placé en tête de ses valeurs has put at the top of its values
qui permettent de tout exiger that allow everything to be required
de tout justifier everything to be justified
y compris including
appauvrissement impoverishment
accroché à ses graphiques attached to its graphics
détresse de ceux qui perdent leur travail distress of those who lose their jobs
voient fondre leurs revenus et leurs avantages sociaux see their income and benefits melt away
afin de garantir so as to guarantee
démunis impoverished, disadvantaged
en y insufflant instilling in it
main-d'œuvre servile et meilleur marché servile and better priced labor force
osent se plaindre de ce qu'ils perdent dare to complain about what they are losing
face à in view of, compared to
partager la précarité share their precariousness. *Précarité* is a buzzword in French political discourse, connoting "subject to losing one's job with or without notice," the antithesis of the state functionary who never risks being fired.
but goal
traitements income
tant que as long as
escrocs crooks
ne se font pas pincer don't get caught
passés par les cabinets ministériels going through the personal staff of ministers
se sont réparti...sociétés divided up...companies
en voie de privatisation in the process of being privatized
ils se sont improvisés gestionnaires they acted like administrators
ont imposé made it obligatory
de leur accorder to give/pay them
de juteux dividendes juicy dividends
tout en amorçant le processus while beginning/initiating the process
fusions mergers
pour viser « plus grand » to aim "bigger"
absence de critique absence of criticism
accordent désormais grant from now on
au simple fait de s'enrichir for simply getting rich
brosse le portrait flatteur paint a flattering portrait

Samedi 24

Peut-être vivons-nous **sous le règne** d'une *économie d'escroquerie.* Notre **époque a placé en tête de ses valeurs** le culte de l'entreprise, la progression des courbes et des pourcentages : symboles sacrés **qui permettent de tout exiger, de tout justifier, y compris** l'**appauvrissement** d'un très grand nombre. Dans ce monde **accroché à ses graphiques**, le dynamisme économique peut se traduire par la **détresse de ceux qui perdent leur travail, voient fondre leurs revenus et leurs avantages sociaux afin de garantir** la « bonne santé des entreprises ». Transformé en service d'assistance aux plus **démunis**, le vieil État social-démocrate doit lui-même procéder à la réforme de ses administrations, **en y insufflant** l'esprit de concurrence et la notion de rentabilité. Les hommes d'affaires vont chercher plus loin une **main-d'œuvre servile et meilleur marché** ; et si les gens **osent se plaindre de ce qu'ils perdent**, on les accuse d'égoïsme **face à** des peuples encore plus pauvres, dont il faut désormais **partager la précarité**. Pour le reste, l'agitation frénétique de l'économie constitue le **but** qui autorise tous les **traitements, tant que** les chiffres progressent et que les **escrocs ne se font pas pincer.**

Dans la France des années quatre-vingt-dix, de jeunes fonctionnaires **passés par les cabinets ministériels se sont réparti**, comme un gâteau, les **sociétés en voie de privatisation**. Sous la protection de l'État, **ils se sont improvisés gestionnaires** d'anciennes entreprises publiques désignées soudain comme « archaïques ». Les nouvelles normes du capitalisme mondial **ont imposé de leur accorder de juteux dividendes** sous forme de *stock-options,* **tout en amorçant le processus** des **fusions** et restructurations qui, **pour viser « plus grand »**, diminuent le nombre d'emplois. « Derrière chaque grande fortune se cache un grand crime », écrivait Balzac. De ce point de vue, rien n'a changé ; sauf peut-être l'**absence de critique** de ce capitalisme brutal, devenu naturel et incontestable ; sauf la noblesse que tant de commentateurs et de responsables politiques **accordent désormais au simple fait de s'enrichir**. La presse spécialisée **brosse le portrait flatteur** des nouveaux « hommes de l'année » : bandits des ex-pays soviétiques

chevaliers de l'économie de marché knights of the market economy
reconvertis en conseillers des multinationales redeployed as consultants to multinationals
exploitation sans limite des ouvriers limitless exploitation of workers
agences immobilières real-estate agencies
envahit invades/overruns
mensongère misleading, dishonest
regain d'emploi rise in employment
exige demands, requires
effort supplémentaire extra/additional effort
se montrer to show that they are
tapageuses hyped up
enchaînent enchain
de se dégager of freeing themselves
prédit predict
baisses de prix drops in prices
d'aligner aligning
tarifs du gaz gas prices
sur ceux de la concurrence with those of the competition
aux heures creuses during slack periods
aux heures pleines at busy times
elle venait de supprimer it just eliminated
toute possibilité d'appeler directement all possibility of calling directly
son agence its office
unique standard d'employés précaires single call center staffed by employees subject to being laid off at any time
implanté au Maroc established in Morocco
à retardement by delayed action
aboutir à to end up with
tout s'achète et se vend everything is bought and sold
apprennent à se débrouiller learn to manage/get by
tâchent de suivre try to follow
conseils des bateleurs advice of buffoons
au taux at a rate
au sigle with a sign
calqués copied exactly
effacer toute mémoire to erasing all memory
dissimuler to conceal
poussée sauvage des tarifs wild upsurge in prices
sous la baisse officielle de l'inflation under the official drop in inflation
ne discernaient pas didn't detect

transformés en **chevaliers de l'économie de marché**, ministres **reconvertis en conseillers des multinationales**, milliardaires chinois enrichis par l'**exploitation sans limite des ouvriers**, dans le plus grand pays communiste du monde. Chacun sort le tapis rouge pour accueillir cette nouvelle classe de notables qui achète des clubs de football et fait exploser les prix dans les stations de ski de la Tarentaise ou les **agences immobilières** de la Côte d'Azur. L'économie d'escroquerie **envahit** nos existences. Sa propagande **mensongère** annonce un monde meilleur, un **regain d'emploi** qui ne vient jamais mais qui **exige** toujours un **effort supplémentaire**. Elle augmente les revenus des plus riches, tout en invitant les plus modestes à **se montrer** « réalistes ». Ses offres **tapageuses** de crédits et d'abonnements variés prennent la forme de *contrats* qui **enchaînent** le consommateur, sans aucune possibilité **de se dégager**. Elle **prédit** des **baisses de prix** liées à l'harmonieuse concurrence, avant **d'aligner** – par le haut – les **tarifs du gaz** ou du téléphone **sur ceux de la concurrence**. Au nom de l'emploi, elle favorise l'essor des grandes chaînes de distribution, puis réduit le personnel des hypermarchés où chacun doit faire la queue, **aux heures creuses** comme **aux heures pleines**. Elle supprime les services en faisant croire qu'elle les renforce. L'autre jour, ma banque annonçait la création d'un *numéro d'appel 24 heures sur 24* : **elle venait de supprimer toute possibilité d'appeler directement son agence**, au profit d'un **unique standard d'employés précaires implanté au Maroc**.

Un des traits récurrents de cette évolution est d'appliquer **à retardement** (« rattraper notre retard ») des habitudes initiées aux États-Unis. Dix fois depuis vingt ans, le système de numérotation téléphonique français s'est vu modifier, pour **aboutir à** l'actuelle loterie où **tout s'achète et se vend**, dans la jungle déréglementée des compagnies et des tarifs. Les plus jeunes **apprennent à se débrouiller**, tandis que les plus âgés **tâchent de suivre** les **conseils des bateleurs**. L'apparition d'une monnaie unique européenne (**au taux** et **au sigle calqués** sur ceux du dollar) a contribué, elle aussi, à **effacer toute mémoire**, à rendre toute valeur approximative, à **dissimuler** la **poussée sauvage des tarifs sous la baisse officielle de l'inflation** – comme si seuls les indicateurs économiques **ne discernaient pas** une

hausse du coût de la vie rise in the cost of living
unanimement ressentie unanimously felt
vise focuses on
besoins inutiles useless needs
elle alourdit le travail it makes the workload heavier
vivent d'allocations live on welfare
alimente feeds
commerce haut de gamme high-end/luxury businesses
surfacturé overbilled
délirantes delirious, frenzied
moins coûteux en personnel less costly in terms of personnel
geste gesture
a son prix has its price, comes at a price
gagnants winners
réussite success
sait les faire payer knows how to make them pay
Ses échecs les plus flagrants Its most flagrant failures
étapes nécessaires necessary steps
Ses plus grossiers mensonges Its most crass lies
savoir-faire de communication public relations know-how
tâche task
pressée d'engranger eager to store up/secure the means for
de quoi assurer enough to provide for
vieux jours old age
angoisse anxiety
m'a étreinte gripped me
y est définitivement supprimé has been permanently abolished
Qu'on veuille boire une bière Whether you want to drink a beer
manger un plat eat a meal
se rendre au comptoir go up to the counter
passer sa commande give your order
muni de son plateau *in effect:* carrying his tray
fait tout lui-même does everything himself

hausse du coût de la vie unanimement ressentie !

À chaque échelon, l'économie d'escroquerie **vise** la création de **besoins inutiles**, la réduction des charges, l'augmentation des profits et la mise en scène de tout cela comme un avantage ; **elle alourdit le travail** de quelques salariés, tandis que les plus démunis **vivent d'allocations** et que la classe privilégiée **alimente** un **commerce haut de gamme**, lui-même **surfacturé** dans des proportions **délirantes.** Certains hôtels comptent désormais 20 euros de supplément pour servir le petit déjeuner en chambre – le client ayant toujours le choix d'utiliser la salle à manger collective et son buffet américain, **moins coûteux en personnel.** Chaque **geste** de l'entreprise **a son prix** ; mais les nouveaux **gagnants** aiment montrer leur **réussite** et l'économie d'escroquerie **sait les faire payer. Ses échecs les plus flagrants** sont présentés comme des **étapes nécessaires** de la modernisation, appelant de nouvelles réformes. **Ses plus grossiers mensonges** passent pour un **savoir-faire de communication.**

Voici précisément la **tâche** à laquelle on me demande aujourd'hui de contribuer, et voici la tâche que je vais accepter car j'ai besoin d'argent. Le monde a fait de moi cette femme accommodante, **pressée d'engranger de quoi assurer** ses **vieux jours**, et cependant torturée par le spectacle des transformations auxquelles il lui faut activement participer.

Lundi 26

Une **angoisse m'a étreinte**, ce matin, en arrivant gare de l'Est. En apparence, rien n'avait changé. L'immense tableau des soldats de 14-18 était suspendu au-dessus des guichets ; ils embrassaient toujours leurs fiancées, la fleur au fusil. Mais le buffet de la gare, face aux quais, avait subi de nouvelles transformations. Le service des tables y **est définitivement supprimé. Qu'on veuille boire une bière** ou **manger un plat**, il faut désormais **se rendre au comptoir, passer sa commande**, payer, attendre, puis retourner s'asseoir **muni de son plateau.** Ce n'est pas exactement un self-service (les plats restent invisibles) ; plutôt un établissement où le client **fait tout lui-même,**

comme un employé bénévole like an unpaid employee
fumante de choucroute steaming with sauerkraut
garçons valsaient waiters waltzed
sous leurs plateaux de chopes under their trays of beer mugs
j'en avais presque les larmes aux yeux I almost had tears in my eyes
à réservation obligatoire requiring reservations
moyennant quoi in return for which
propre clean
sièges plus amples wider seats
prises électriques electrical outlets
ordinateurs portables laptop computers
intérimaire temporary
la ligne à grande vitesse the TGV Est, a bullet train from Paris to Strasbourg
les plus méritants the most deserving
au prix fort at a high price
ils circulent par bandes they move around in groups/packs
Mon départ étant prévu la veille My departure having been planned for the night before
m'acquitter d'une pénalité *in effect:* I'd have to pay a penalty
m'a obligée à payer un nouveau billet made me buy a new ticket
Mes protestations n'y ont rien changé *in effect:* My protests were to no avail
n'ont pas osé le contredire didn't dare contradict him
encaisser son dû collecting his due
Il pleuvait sur It was raining in
ce qui fait moins pauvre which sounds less poor
à cause du champagne because of the champagne
rendre leur fierté to restore their pride
la plus sinistre des villes the bleakest of cities
voyous hoodlums
têtes d'adolescents furieux look of furious adolescents
Ils ont pris à parti They singled out/set on
pour lui dérober to steal from him
sans que nul n'ose intervenir without anyone daring to get involved
moi pas plus que les autres myself no more than the others
Tirant sur Taking a drag on
pétard (marijuana) joint
chez eux at home
soumis aux lois de la peur et de l'argent subjected to the laws of fear and money
Comme pour ébranler As if to undermine
tubulaire, légère et brillante tubular, light and shiny

comme un employé bénévole. Le personnel est réduit à presque rien. Je me suis rappelé cette salle **fumante de choucroute** et de cigarettes où les **garçons valsaient sous leurs plateaux de chopes ; j'en avais presque les larmes aux yeux.** L'honnêteté m'oblige à relever simultanément plusieurs progrès. Le train de grande ligne façon banlieue vient d'être remplacé par un nouveau rapide **à réservation obligatoire** ; **moyennant quoi** il est possible de grimper dans un véhicule **propre.** À l'intérieur, les **sièges plus amples** sont équipés de **prises électriques**, très pratiques pour les **ordinateurs portables.** Ce véhicule **intérimaire** doit contribuer à changer les habitudes des voyageurs, en attendant l'ouverture de **la ligne à grande vitesse** où **les plus méritants** achèteront bientôt leurs billets **au prix fort.** Sans attendre, j'ai fait l'expérience des nouvelles procédures. Trois contrôleurs sont passés (**ils circulent par bandes**, pour éviter les agressions). **Mon départ étant prévu la veille**, je pensais **m'acquitter d'une pénalité** pour ce changement de dernière minute. En fait, le contrôleur **m'a obligée à payer un nouveau billet**, celui d'hier étant entièrement perdu. **Mes protestations n'y ont rien changé** ; l'homme inflexible parlait de rentabilité. Il semblait me faire la morale au nom de son entreprise. Apparemment plus sceptiques, ses deux collègues **n'ont pas osé le contredire** et il a fini par **encaisser son dû.**

Il pleuvait sur Châlons-sur-Marne. Depuis 1998, il ne faut plus dire « Châlons-sur-Marne » mais « Châlons-en-Champagne », **ce qui fait moins pauvre à cause du champagne.** Ce genre de réforme est supposée **rendre leur fierté** aux habitants. Vue du train, Châlons n'en reste pas moins **la plus sinistre des villes.** Après les contrôleurs, trois **voyous** ont traversé la voiture avec leurs pantalons trop larges, leurs **têtes d'adolescents furieux. Ils ont pris à parti** un jeune passager isolé **pour lui dérober** une cigarette, puis deux. Ils prenaient un évident plaisir à le terroriser, **sans que nul n'ose intervenir, moi pas plus que les autres. Tirant sur** leur **pétard**, ils semblaient **chez eux** dans ce monde **soumis aux lois de la peur et de l'argent.**

Comme pour ébranler mes dernières convictions, l'autorail de Nancy avait pris un coup de fraîcheur, lui aussi. Sur le quai de la correspondance stationnait une voiture **tubulaire, légère et brillante,**

d'un beau gris chromé of a beautiful chrome-plated gray
volume *here:* body
allongé d'un seul tenant jusqu'au pilote stretched out in one unit up to the engineer/driver
a été conçu was designed/conceived
soutien financier financial support
avaient du sens made sense
chercher les signes du déclin look for the signs of decline
processus de transformation process of transformation
lourdeur administrative administrative weight
raideur des syndicats inflexibility of unions
aigris de ma sorte the embittered ones like me
déclinent *here:* voice
lamento dissatisfaction/lament
douce régression gentle regression/decline
frais cool
neige fondue melted snow
Mon portable a sonné My cell phone rang
terre boueuse muddy ground
flocons flakes
alourdis par la neige weighed down by the snow
collait à la chaussée was sticking to the road(way)
vert fluo fluorescent green
gravir to climb up
j'ai à peine remarqué I hardly/barely noticed
à moitié ensevelis half-buried
a patiné *here:* skidded/slid (to a stop)
droit devant moi straight ahead
se sont enfoncés jusqu'au chevilles sank in(to the snow) up to my ankles

d'un beau gris chromé. Son **volume, allongé d'un seul tenant jusqu'au pilote, a été conçu** pour garantir la sécurité des passagers et du personnel. Ce genre de train doit succéder aux voitures déclassées grâce au **soutien financier** du conseil régional ; et je me suis demandé soudain si mes indignations **avaient du sens**. Pourquoi **chercher les signes du déclin** dans un simple **processus de transformation** ? À quoi donc est-ce que je m'attachais ? À la bonne marche du monde ou seulement à ma nostalgie ? Les vrais handicaps de cette compagnie de chemins de fer (de la France, de l'Europe) n'étaient-ils pas plutôt la **lourdeur administrative**, la **raideur des syndicats**, et surtout les **aigris de ma sorte** qui **déclinent** leur **lamento** ?

Le parfum des sapins m'a saisie sur le quai à l'arrivée. En entrant dans le taxi puis en remontant vers la vallée sous la pluie, j'avais un sentiment de **douce régression** ; je retournais vers un monde plus stable, moins bouleversé, plus rassurant, qui me rapprochait de mon enfance. Dans l'air de plus en plus **frais**, les gouttes de pluie se sont transformées en **neige fondue**. **Mon portable a sonné** : c'était Jean-Bertrand. La somme dont il a parlé m'a fait du bien. Des deux côtés de la route, une eau blanche recouvrait la **terre boueuse**. Soudain, à cinq kilomètres du village, les **flocons** se sont accrochés au sol, aux arbres, aux maisons ; en quelques minutes, la blancheur s'est étendue sur la vallée et nous sommes entrés dans l'hiver.

Nous grimpions sous les sapins **alourdis par la neige**. J'aurais pu continuer à énumérer la liste des altérations du monde ; mais j'étais surtout heureuse de retrouver cette rue au milieu des fermes où nous avancions de plus en plus lentement, car la neige **collait à la chaussée**, obligeant le chauffeur à ralentir. Les décorations de Noël devant la mairie m'ont semblé presque jolies, malgré leur **vert fluo**. Quand le taxi a tourné pour **gravir** le chemin de la maison, **j'ai à peine remarqué** les trois containers d'ordures **à moitié ensevelis** sous la poudre blanche. La voiture **a patiné** et je suis descendue avec ma valise au bord de la route. Puis le taxi est reparti, j'ai marché **droit devant moi** et mes pieds **se sont enfoncés jusqu'aux chevilles**. Au bord de la forêt, le torrent avait repris ses couleurs glacées d'hiver. Arrivée sur la terrasse, j'ai contemplé le hameau dans sa vallée comme le vestige d'un ancien monde à l'aube du recommencement.

coups de klaxon honks of a horn
bien dressé well-trained
dévalé rushed down
averse blanche white shower, snowfall
serrée *here:* heavy
bottes boots
crissaient crunched
couche souple et légère soft and light layer (of snow)
épicier grocer
phares allumés headlights (turned) on
Vêtu Dressed
il a frotté ses gants he rubbed his gloves together
coffre trunk (of the car)
contenant la commande containing the order
que j'avais passé par téléphone I had placed over the telephone
Il n'y a pas si longtemps Not so long ago
s'ouvrait opened
sur le côté on the side
vitrine de viandes (display) window of raw meats
plats cuisinés prepared dishes/foods
charcuterie cured meats
sans se presser without being in a hurry
il a mis sa camionnette au rebut he scrapped his van
frigorifique refrigerated
réduit notre échange de banalités cuts down on our exchange of banalities
marchandises empaquetées packaged foods
qu'il a dû se conformer he had to comply (with)
aux exigences d'hygiène to hygienic requirements
J'ai envie de le croire I want to believe him
pester to gripe
je le soupçonne d'avoir inventé cet argument I suspect he invented this rationale/excuse
colporteur peddler
poignée de veuves handful of widows
gestion des stocks inventory management
Chargée de commissions Loaded with groceries
j'ai gravi le chemin I climbed up the road
aire civilisée civilized area
étendue glacée icy/frozen expanse
J'ai dressé l'oreille I pricked up my ears
j'ai cru apercevoir I thought I saw

Mercredi 28

En fin d'après-midi, j'ai entendu deux **coups de klaxon**. Au signal, comme un animal **bien dressé**, j'ai ouvert la porte de la cuisine et **dévalé** le chemin sous l'**averse blanche**, de plus en plus **serrée**. Mes **bottes crissaient** dans la **couche souple et légère**. À l'embranchement de la route, la voiture de l'**épicier** approchait lentement, **phares allumés** ; elle s'est arrêtée devant moi et le commerçant est sorti. **Vêtu** de son anorak, **il a frotté ses gants** l'un contre l'autre avant d'ouvrir le **coffre** pour me tendre deux grands sacs en plastique **contenant la commande que j'avais passée par téléphone**. Nous avons échangé quelques mots.

Il n'y a pas si longtemps, il passait avec sa camionnette ambulante, un modèle qui **s'ouvrait sur le côté** et se transformait, au bord de la route, en magasin d'alimentation : **vitrine de viandes, plats cuisinés, charcuterie**, fruits et légumes... À chaque arrêt, il quittait la place du conducteur et entrait dans sa boutique où il reprenait la panoplie du vendeur. On échangeait des banalités, **sans se presser**. Voici trois ans, **il a mis sa camionnette au rebut** et l'a remplacée par cette voiture **frigorifique** ; ce qui **réduit notre échange de banalités** au temps de livraison des **marchandises empaquetées**.

L'épicier prétend **qu'il a dû se conformer** à de nouvelles normes européennes. Son commerce ambulant ne correspondait plus **aux exigences d'hygiène. J'ai envie de le croire**, de **pester** contre la force destructrice de l'administration ; mais **je le soupçonne d'avoir inventé cet argument** pour simplifier son existence. Peut-être était-il fatigué de faire le **colporteur** pour une **poignée de veuves** à faible rendement, quand la voiture-frigo permet une **gestion des stocks** plus efficace et plus sûre. On finit par se rendre au confort moderne, au détriment d'une certaine esthétique de l'existence.

Chargée de commissions, j'ai gravi le chemin et tourné sous le grand chêne. À cet endroit précis, le bruit du torrent devient plus présent. J'aime ce changement brusque de sons et de couleurs. En quelques pas, je quitte l'**aire civilisée** pour entrer dans celle de la montagne ; je ne suis plus au bord de la route, mais dans l'**étendue glacée**. Soudain, il m'a semblé qu'une voix m'appelait : « Florence, Florence... » **J'ai dressé l'oreille** ; c'était seulement le sifflement du vent. Quelques pas plus loin, en regardant vers la forêt, **j'ai cru**

en les rouvrant reopening them
resserrait compressed
troublée disconcerted
j'ai rangé I put away
j'épluche I peel
je goûte I enjoy
grésillante *here:* scintillating
chuchote à mon oreille whisper in my ear
Paris me manquerait I would miss Paris
au bout de combien de temps how much time would it take
l'ennui finirait-il par me saisir before boredom finally gripped me
J'ai reçu hier la visite Yesterday I received a visit
mèches de cheveux noirs locks of black hair
nouées comme de petits glaçons clumped together like little icicles
surprenante astonishing, amazing
Contre toute attente Against all odds
défend aujourd'hui today champions
principes de l'art abstrait principles of abstract art
autorisent à regarder allow one to view
n'importe quel objet any object
Disciple tardif Late-coming disciple
il y croit he believes in it
l'air moqueur mockingly

apercevoir un homme debout dans la neige. J'ai fermé un instant les yeux ; **en les rouvrant**, je n'ai rien vu d'autre que la rangée de sapins à la lisière des bois. Le poids de la neige **resserrait** leurs branches, comme des bras tendus le long du corps pour protéger un domaine secret.

De retour à la maison, un peu **troublée, j'ai rangé** les provisions, jeté une bûchette dans la cuisinière à bois, allumé le poste de radio, puis réglé méticuleusement l'antenne afin de capter un débat sur la réforme des hôpitaux psychiatriques qui ne m'aurait pas passionnée en d'autres circonstances. Sauf qu'ici, dans cette cuisine de campagne où **j'épluche** des pommes de terre et des carottes, **je goûte** la compagnie **grésillante** des gens qui parlent, cette présence éloignée du monde qui **chuchote à mon oreille.** Je ne m'ennuie jamais toute seule, je pourrais passer ainsi des soirées, des semaines, des mois entiers. Jamais je n'arrive au « point de saturation », à ce moment où **Paris me manquerait.** Mais, si je vivais librement dans cette maison, **au bout de combien de temps l'ennui finirait-il par me saisir** ? Au bout de combien de temps retournerais-je poser mes yeux sur les carreaux pour me distraire, pour le seul plaisir de regarder quelqu'un arrêter sa voiture et jeter des bouteilles dans le container, sous l'éclairage glorieux du réverbère ?

Vendredi 30

J'ai reçu hier la visite de Grégory qui passe le Nouvel An au village. Il est entré, rougi par le froid, ses **mèches de cheveux noirs nouées comme de petits glaçons.** Au coin du feu, nous avons bu un verre d'alcool de framboise et il m'a raconté la **surprenante** transformation de son père. **Contre toute attente**, l'éleveur de chèvres du centre agro-touristique, devenu le plus enthousiaste admirateur des *installations* de son fils, **défend aujourd'hui**, dans toute la contrée, les **principes de l'art abstrait** et les concepts qui **autorisent à regarder n'importe quel objet** comme une œuvre d'art. **Disciple tardif** de Marcel Duchamp, il n'a pas encore tout assimilé, mais **il y croit** et les bûcherons l'écoutent, **l'air moqueur**.

Avant de repartir, Greg s'est approché de la fenêtre et m'a appelée en disant :

bloc de glace block of ice
épaisses bourrasques thick squalls
brouillent blur
averse s'estompe *here:* snowfall lets up
netteté clearness
couche souple de poudreuse soft layer of powder
parallélépipédique polyhedral
saupoudrés sprinkled
congère snowdrift
Veillant sur la nuit glacée Watching over the icy night
prend elle-même une teinte douce took on a soft tint itself
éclairage de chandelle candlelight
chasse-neige snowplow
le clair et l'obscur light and dark
s'est étendue spread itself out

– J'ai trouvé un titre pour une nouvelle œuvre : on pourrait appeler ça : *Transformation d'un container à ordures en* ***bloc de glace***.

Je l'ai rejoint près du carreau et le miracle s'est produit sous mes yeux, comme l'autre jour quand il a tiré sur le réverbère.

La neige tombe sur la vallée. Par instants, d'**épaisses bourrasques brouillent** entièrement la vue ; puis l'**averse s'estompe** et le paysage, soudain, s'éclaire dans une lumière en noir et blanc, avec une **netteté** plus grande que celle du jour… Une **couche souple de poudreuse** a englouti l'espace propreté. À la forme **parallélépipédique** des containers en plastique s'est substituée une ondulation modelée par le vent, qui s'étend d'une poubelle à l'autre ; les couleurs bleu, rouge, vert, ont disparu, sauf quelques angles **saupoudrés** qui émergent de la **congère**. La neige est plus forte que les ordures ; le ciel est plus fort que l'organisation. **Veillant sur la nuit glacée**, la lumière du réverbère **prend elle-même une teinte douce**, comme un **éclairage de chandelle**. Le **chasse-neige** se fait attendre ; la circulation est presque impossible pour une heure ou deux. Comme sur un négatif photographique, **le clair et l'obscur** font ressortir le moindre contraste des maisons, des prairies, des forêts. La vieille magie de l'hiver **s'est étendue** sur le paysage immobile.

Janvier

arbustes shrubs
aspérité protrusion of rock
courbe curve
je prends la pelle I take the shovel
creuser à nouveau la trace *in effect:* to clear the trail again
Au diable To hell with
bruyantes machines à déneiger noisy snow-clearing machines
résoudre to solve
de mes propres mains with my own hands
évolution de mon petit capital fluctuations in my little stocks/assets
toujours plus profonde always deeper
sentier path
je prends froid I get cold
chauffage électrique electric heat
marche parfaitement works perfectly
souffrir du dos have back trouble
maniement de la pelle shoveling
pénible difficult, painful
comblait la trace fill up the trail
creusée la veille cleared the night before
Épuisée Exhausted
souffleuse blower
déblayer to clear
m'affliger being distressed
épingler pinpoint

Lundi 2

La neige continue à tout recouvrir. Autour de la maison, les herbes, les **arbustes**, puis la moindre **aspérité** du paysage ont disparu sous une **courbe** de plus en plus douce et régulière. Chaque matin, **je prends la pelle** pour **creuser à nouveau la trace**, de ma porte jusqu'au chemin. Les premiers jours, l'exercice m'a paru délicieusement poétique. **Au diable** les **bruyantes machines à déneiger** ! Dans ce monde pressé, j'éprouvais un intense plaisir à **résoudre de mes propres mains** ce problème matériel, bien plus concret que les cours de la bourse (ce qui ne m'empêche pas d'aller régulièrement sur Internet vérifier l'**évolution de mon petit capital**). La seule question urgente était de creuser, dans la couche **toujours plus profonde**, ce **sentier** d'une cinquantaine de mètres ; entreprise passionnante qui me ramenait aux conditions de vie primitives, l'angoisse en moins (car il suffit, quand **je prends froid**, de rentrer dans la maison où le **chauffage électrique marche parfaitement**).

Le troisième jour, j'ai commencé à **souffrir du dos** et le **maniement de la pelle** est devenu **pénible**. Chaque nuit, la neige soufflée par le vent **comblait la trace creusée la veille** ; il fallait recommencer, et la neige montait encore pour atteindre cinquante, puis soixante centimètres. **Épuisée**, j'ai fini par téléphoner à Joël, le garde-forestier, qui est venu avec une **souffleuse** rapide et bruyante **déblayer** un large passage assuré de tenir quelques jours.

Le soir, devant la cheminée, je pratique l'exercice de la raison. Vais-je passer le reste de mon existence à **m'affliger** des changements du monde ? Vais-je, semaine après semaine, **épingler**

hargneuse aggressive
regretter to miss
Notre-Dame des chemins de fer Our Lady of the Railways
luttant fighting
bouleversements upheavals
qui me désole that upsets me
acquis established
ma posture confine au ridicule my position verges on absurdity/the ridiculous
édifier des tours to build/construct towers
hideuses et gigantesques hideous and gigantic
centres commerciaux déprimants depressing shopping centers
à douze voies twelve-lane
qui pousse partout that pops up everywhere
en effaçant erasing
gigantesque cauchemar huge nightmare
préservé preserved
banlieuisés *in effect:* suburbified
muséifiées *in effect:* made into museums
étendant leur toile morbide casting their morbid web
m'égarant wandering off
freiner to curb
reste attaché à l'allure générale remains attached to the general look/atmosphere
tel qu'il résonne en moi as it has resonated in me
hantise de la fuite du temps dread of the passing of time

chaque détail de la mutation en cours comme une détective **hargneuse** ? Vais-je éternellement **regretter** les trains d'avant-guerre ? Vais-je me transformer en **Notre-Dame des chemins de fer, luttant** contre la dégradation des transports publics ? Vais-je indéfiniment déplorer les **bouleversements** qui m'éloignent d'un paradis perdu ? Le mouvement **qui me désole** est tellement avancé, radical, **acquis**, incontestable, que **ma posture confine au ridicule**. Je me rappelle ce récent voyage en Chine où j'ai vu avec quelle violence l'entreprise de rénovation générale peut s'abattre sur le monde, détruire les vestiges de Pékin pour **édifier des tours hideuses et gigantesques**, des **centres commerciaux déprimants**, des autoroutes **à douze voies**, clinquants pastiches d'une Amérique imaginaire **qui pousse partout**, n'importe comment, afin de générer des profits, **en effaçant** tout souvenir du monde précédent. Ce qu'on appelle chez nous le « miracle chinois » m'a fait l'impression d'un **gigantesque cauchemar**.

À mon retour en France, j'ai même eu l'impression, pour la première fois, d'habiter un pays extraordinairement **préservé**. Malgré un siècle de guerres et d'urbanisme sauvage, l'ancienne Europe a sauvé quelques apparences. Les transformations y paraissent plus lentes et mieux contrôlées. Moi qui n'y voyais que signes de dégradation (villages **banlieuisés**, villes **muséifiées**, routes et parkings **étendant leur toile morbide**), j'étais frappée à mon retour de Pékin par cette belle harmonie qui subsiste dans les paysages de campagne et dans certains quartiers urbains. Au cœur de Paris, marchant d'un pont à l'autre, **m'égarant** dans des passages couverts entre les boulevards, je découvrais les avantages d'un compromis raisonnable entre les impératifs de l'économie moderne et la conscience de l'Histoire. Un ensemble de lois et de règles permet ici de **freiner** toute transformation trop brutale ; et le même sens de la mesure protège mon hameau où chacun, malgré l'ardeur modernisatrice, **reste attaché à l'allure générale** d'un village de montagne.

Dans cette perspective, l'implantation du réverbère au bord de la route marque une altération supportable, une concession tolérable aux lois de la circulation. J'aurais préféré conserver ce paysage intact, **tel qu'il résonne en moi** depuis l'enfance. Mais je m'interroge aussi sur cette **hantise de la fuite du temps**, ce besoin

solution provisoire temporary solution
adaptée aux moyens locaux adapted to local means
qu'il faudra raffiner en édifiant which will have to be refined by erecting
palissade en bois wooden fence
autour des poubelles around the trash cans
Pourquoi aurais-je, seule, raison contre tous? Why would I alone be right versus everyone else?
biche doe
stationner park
honte shame
il s'est étendu it has stretched out
insoupçonnées unsuspected
lumière glauque murky/gloomy light
Mieux vaut agir ainsi que m'emporter seule It is better to act in this way than to prevail alone
de mes convenances of my conventions
agacements irritations
je me sens seule I feel alone
angoissée anxious
remémorer to recollect
fillette little girl
étroite narrow
poules couraient hens ran
sa dizaine d'élèves its ten or so students
sa classe unique its one class
je les rejoignais pour les foins I joined them for the haymaking season
premiers défricheurs the first to clear the woods
sous les granges under the barns
se croisaient des libellules dragonflies pass each other
papillons butterflies
jaunâtres yellowish
chacun croit connaître la fin d'un monde each believes he has known the end of a world

de me rattacher à un monde perdu qui n'avait rien d'idéal. Incontestablement, les trois containers de tri sélectif implantés sous ma fenêtre sont *laids*. Mais ma raison social-démocrate peut regarder cet acte inesthétique comme une **solution provisoire** à un problème sérieux ; une contribution à la protection de l'environnement **adaptée aux moyens locaux** ; une première étape **qu'il faudra raffiner en édifiant**, par exemple, une **palissade en bois autour des poubelles. Pourquoi aurais-je, seule, raison contre tous** ? Contre les villageois qui aiment s'échapper de leur maison, traverser les forêts en 4 x 4, apercevoir une **biche** près du col, puis **stationner** au parking du supermarché où l'on trouve un choix d'articles inconnu dans leurs épiceries de campagne ? Leurs parents vivaient dans la **honte** et la misère. En deux générations, ils ont découvert les vacances, les voyages, la télévision, les hamburgers. Le monde, à mes yeux, a perdu sa magie ; pour eux, **il s'est étendu**, ouvert à des perspectives **insoupçonnées**, comme cette **lumière glauque** que Paul admirait l'autre jour au pied de son réverbère.

Et si, vraiment, je ne supporte pas l'éclairage public, je peux encore m'asseoir de l'autre côté de la maison. Il me suffit de changer de pièce pour changer l'orientation de ma vie. **Mieux vaut agir ainsi que m'emporter seule**, vouloir imposer la loi **de mes convenances**, transformer mes **agacements** en théorie de l'époque.

Je n'ai même pas besoin du paysage pour rêver. Chaque fois que **je me sens seule**, **angoissée**, dépressive, je peux me **remémorer** ces moments très doux, quand j'étais une **fillette** de sept ou huit ans passant les vacances dans cette maison. Le tourisme n'existait pas encore ici, sauf pour quelques familles d'habitués comme la nôtre. La route était **étroite** ; les **poules couraient** autour des fermes ; les enfants fréquentaient l'école communale avec **sa dizaine d'élèves** et **sa classe unique** ; au mois de juillet, **je les rejoignais pour les foins**. Le rythme de cette vallée nous rattachait à la nuit des temps, jusqu'aux **premiers défricheurs** ; rien n'avait changé depuis le *Roman de Renart* dans cette façon de vivre **sous les granges**, au bord des rivières, sur les prés où **se croisaient des libellules** et des **papillons**. Aujourd'hui, les mêmes champs sont devenus **jaunâtres** et les papillons moins nombreux, à ce qu'il me semble. J'ai dû connaître la fin d'un monde ; mais peut-être que **chacun croit**

regarder derrière soi to look behind oneself
poids weight
de ce qui a disparu of what has disappeared
devient plus lourd becomes heavier
J'y vais I go there
effrayante frightening
je me réveille en sueur I wake up in a sweat
harcelée *here:* plagued
idées noires dark ideas
boire un demi to drink a pint (of beer)
avec sa vieille guimbarde with his old jalopy
chemins cahoteux bumpy roads
à l'ombre du frêne in the shadow of the ash tree
pris le maquis joined the underground/Resistance. *Maquis* refers to the open country where Resistance fighters carried out their guerrilla operations against the occupying German army.
cette gamine that child
L'air tremblait légèrement *in effect:* There was a slight breeze
flou fuzziness
sans se lasser tirelessly
vers worms
resurgissent come back
raniment rekindle
éraillées rasping, hoarse
gueules cassées beat-up/scarred faces
nains dwarves
s'est forgée *here:* was derived
voltige flutters
en tous sens in all directions

connaître la fin d'un monde ; peut-être suffit-il de passer quarante ans pour commencer à **regarder derrière soi** parce que, dans la balance, le **poids de ce qui a disparu devient plus lourd**. Et si les gens de vingt ans préfèrent l'avenir, c'est peut-être parce qu'ils croient davantage à *leur* avenir.

Je ne connais pas de voyage plus réconfortant que ce retour vers l'enfance. **J'y vais** chaque fois que la vie me paraît **effrayante**, quand **je me réveille en sueur**, **harcelée** par les **idées noires**. Il suffit de me rappeler ces promenades dans la voiture du vieil oncle joyeux qui m'emmenait sur les cols, qui s'arrêtait pour **boire un demi** au bord d'un lac puis reprenait la route **avec sa vieille guimbarde** par des **chemins cahoteux**, jusqu'à la ferme de Paul, dans la clairière qui domine la vallée. On s'asseyait autour d'une table **à l'ombre du frêne**. Le vieux père de Paul sortait une bouteille de vin et, pour moi, un Orangina. Ils évoquaient leurs souvenirs de guerre, quand mon oncle avait quitté Paris et **pris le maquis** dans cette région. La conversation avait un ton légendaire.

J'étais **cette gamine** assise au milieu des hommes. **L'air tremblait légèrement**. Sur la droite, en direction de l'ouest, les versants couverts de sapins se répondaient en lignes obliques, jusqu'au **flou** de l'horizon. J'écoutais la fontaine couler dans la remise, à l'entrée de l'étable. Le temps semblait suspendu sur la montagne parfumée de fleurs et de foins fraîchement coupés. Les poules heureuses accomplissaient **sans se lasser** le tour de la maison, à la recherche de **vers** de terre. Et chaque fois qu'elles **resurgissent**, ces images **raniment** en moi l'idée première du bonheur, différente de tout ce que j'ai appris ensuite, mais indestructible au fond de ma conscience. Dans cet enchantement, les paysages s'étendent à l'infini, les grandes personnes ont des voix **éraillées**, des **gueules cassées**, des personnalités imposantes pour évoquer lentement des sujets qui les concernent. Ce sont des souvenirs aux allures de contes, rythmés par le bruit traînant des sabots, dans un décor de terre et de bois où les animaux vivent près des hommes, les vaches dans leur étable, les lapins dans leur clapier, tout près de la grande forêt où se cachent des **nains** et des elfes.

Voilà comment **s'est forgée** mon idée du bonheur ; voilà comment je la retrouve, par fragments, quand la neige tombe devant ma fenêtre, **voltige en tous sens** avec des mouvements

averse *here:* snowfall
elle engloutit it swallows up, engulfs
rideau curtain
gros flocons large flakes
pour passer me voir (to ask if he could) come by to see me
embarrassé embarrassed
mettre les choses au clair to get things straight
surmontant *in effect:* having gotten beyond
meilleure issue best solution/outcome
la confronter to compare it
pour aboutir à une synthèse *here:* to come to a solution
plantation planting
dissimuler to conceal
atténuerait would tone down/dim
Il est arrivé à l'heure du café He arrived in time for coffee
dégingandé lanky
bottines fourrées fur-lined boots
faïences painted pottery
tel un esprit progressiste in the manner of a progressive spirit
en fronçant le nez wrinkling his nose
J'ai fait mon innocente I tried to look innocent
C'est réparé, n'en parlons plus It's repaired, let's not talk about it anymore
méfiez-vous beware
raté failure
méprisant contemptuous, scornful
tronçonneuses chainsaws
brute lout

incertains. J'appuie mes yeux sur les carreaux glacés et l'**averse** se fait dense comme un blizzard ; **elle engloutit** complètement le paysage. Le monde n'est plus que ce **rideau** opaque et froid de **gros flocons**.

Mercredi 4

Le maire a téléphoné **pour passer me voir** ; il semblait **embarrassé** et j'ai supposé qu'il voulait **mettre les choses au clair**, justifier le choix de cet emplacement pour les ordures. De mon côté, **surmontant** la fureur des premiers jours, je désirais me montrer pragmatique. Un dialogue franc constituerait la **meilleure issue** : je devais, sans hystérie, expliquer ma façon de voir les choses et **la confronter** à celle des villageois **pour aboutir à une synthèse** : par exemple, la **plantation** de quelques arbres permettrait de **dissimuler** l'espace propreté et **atténuerait** la tache de lumière du réverbère sur ma maison.

Il est arrivé à l'heure du café, svelte et **dégingandé**, dans son anorak de marque et ses **bottines fourrées** de campagnard enrichi. Il a admiré ma collection de **faïences**, sur le buffet, puis un tableau de Grégory accroché à l'autre bout du salon ; un paysage de neige tout rouge :

– Intéressant ! a-t-il admis, **tel un esprit progressiste**, tolérant pour l'art moderne, avant de se retourner vers moi **en fronçant le nez** : Tout le monde pense que c'est lui, pour le réverbère !

J'ai fait mon innocente :

– De quoi parlez-vous ?

– Vous savez bien, le réverbère cassé en bas du chemin, il y a quinze jours… **C'est réparé, n'en parlons plus**. Mais **méfiez-vous** de Grégory. C'est un **raté** ; les gens d'ici le trouvent prétentieux, **méprisant**.

– Évidemment, il parle rarement de voitures, d'antennes paraboliques, de parkings, de **tronçonneuses** ; voilà ce qui doit paraître bizarre et prétentieux !

Sans rien dire, le maire s'est approché de la fenêtre. Comme pour me prouver qu'il n'est pas une **brute**, il a regardé l'espace propreté en murmurant :

Je reconnais que I admit that
vu d'ici seen from here
j'ai dû céder à la pression populaire I had to give in to public pressure
il semblait vouloir s'excuser he seemed to want to apologize
En fait, j'avais proposé In fact, I had suggested
d'autres emplacements other sites
Rien à faire Nothing could be done
elle a l'habitude she's used to it
ne m'a surprise qu'à moitié only half surprised me
avait prévu une solution had come up with a solution
Je vais faire planter I'm going to plant
haie de sapins row of fir trees
Il devançait He anticipated
je n'ai pu m'empêcher de préciser I couldn't help/keep from stating
j'ai alors constaté I noticed
loin de se détendre far from relaxing
se crispait de plus en plus was getting more and more nervous/tense/uptight
qu'il retenait ses mots *in effect:* that he was holding something back
Il a avalé sa salive He swallowed hard
Vous allez croire You're going to think
qu'on s'acharne we're fighting you
Ma respiration s'est bloquée I couldn't breathe
énoncé uttering
sous la houlette de under the guidance of
soulagement relief

– **Je reconnais que, vu d'ici**, ce n'est pas très joli. Mais... comment dire... **j'ai dû céder à la pression populaire.**

Pour me montrer conciliante, je l'ai assuré que je comprenais la nécessité d'implanter un point de tri sélectif ; **il semblait vouloir s'excuser** :

– **En fait, j'avais proposé d'autres emplacements. Rien à faire** : chaque fois, une partie du conseil municipal insistait en disant : « À l'entrée du village, ce sera très bien. Y a personne qu'habite par là. » Et quand je rappelais : « Il y a tout de même Florence », ils rétorquaient : « Bah, c'est une Parisienne, **elle a l'habitude.** »

Cette information **ne m'a surprise qu'à moitié.** Elle correspond à ce que j'ai entendu au bistrot. De toute façon, le maire **avait prévu une solution** :

– **Je vais faire planter** une **haie de sapins** qui rendra l'installation plus discrète ; ce n'est pas si compliqué.

Il devançait ma demande. Me sentant presque victorieuse, **je n'ai pu m'empêcher de préciser** :

– Rappelez-leur que, même à Paris, on n'installe pas des poubelles n'importe où. Même là-bas, on cherche à préserver le caractère d'un lieu.

Persuadée d'avoir gagné la partie, **j'ai alors constaté** que le maire, **loin de se détendre**, **se crispait de plus en plus.** Dans le silence qui a suivi, j'ai compris **qu'il retenait ses mots.** Je l'ai regardé fixement :

– Vous vouliez me dire autre chose ?

Il a avalé sa salive avant de reprendre :

– Eh bien, en fait, c'est un peu délicat. **Vous allez croire qu'on s'acharne**, mais...

Ma respiration s'est bloquée. De quel mauvais coup s'agissait-il encore ? Inquiète, j'ai attendu qu'il se lance :

– Vous savez que la SNCF a décidé de fermer la liaison fret qui passe par le tunnel des Mines...

L'**énoncé** de ces quatre syllabes – S.N.C.F. – a soulevé dans mon esprit un mélange d'inquiétude (je sais de quoi cette société d'État est capable, **sous la houlette de** hauts fonctionnaires jouant les entrepreneurs) et de **soulagement** (j'ai l'impression exagérée que mes relations me donnent désormais une certaine influence, pour

J'ai laissé I let/allowed
poursuivre to continue/carry on
Ils invoquent They refer to
vous m'avez déjà prévenue you've already warned me
inquiétude worry, anxiety
cohorte *here:* fleet
cargaisons cargo
transportées hier encore transported only yesterday
Je m'apprêtais I was prepared
qui se traduit which is manifested
titres clinquants glaring headlines
pollution accrue increased (level of) pollution
Comme pour In order/As if
résister à la catastrophe to avoid catastrophe
écarter la menace to eliminate the threat
se précipitent are rushing (to take)
Je me voulais rassurante I wanted to think I was being reassuring
m'a dévisagée stared at me
avenir collectif collective future
demande request
sur le point d'obtenir on the verge of securing
élargissement de la départmentale widening of the departmental road
tordait *here:* distorted
aubaine bonanza/godsend
Il semblait ajouter He seemed to add
J'avais mis des années I had spent years

tout ce qui concerne les chemins de fer). **J'ai laissé** le maire **poursuivre** son explication :

– **Ils invoquent** des problèmes de sécurité pour fermer cette ligne dont l'activité est déficitaire. Vous voyez les conséquences !

– Oui, **vous m'avez déjà prévenue** que le trafic allait augmenter. C'était même la raison de l'implantation du réverbère.

Depuis cette première conversation, j'attendais avec **inquiétude** l'arrivée d'une **cohorte** de poids lourds engorgeant la vallée, pour véhiculer des **cargaisons transportées hier encore** par le train. **Je m'apprêtais** à découvrir concrètement cette évolution **qui se traduit** dans les journaux par des **titres clinquants** tels que « Priorité au développement du fret ferroviaire », « Nouvelles mesures pour éviter l'engorgement du transport routier », ou encore « Le gouvernement lance un plan "rail", approuvé par les organisations écologistes ». Dans la réalité, cela correspond toujours à la suppression de nouvelles lignes, à l'augmentation du nombre de camions, à une **pollution accrue. Comme pour résister à la catastrophe**, je préférais toutefois **écarter la menace** pour notre vallée.

– En fait, je doute que les routiers **se précipitent** sur cette route perdue ; ils ont des chemins plus directs.

Je me voulais rassurante ; le maire **m'a dévisagée** avec une certaine autorité pour répliquer d'une voix de chef d'entreprise, responsable de l'**avenir collectif** :

– Au contraire, je pense qu'on va bénéficier d'une bonne partie du trafic et c'est excellent pour la commune. On vient de faire une **demande** à la direction de l'Équipement pour être classés en itinéraire prioritaire. Je suis **sur le point d'obtenir** l'**élargissement de la départementale.**

Une mauvaise grimace d'entrepreneur lui **tordait** le visage. L'espace d'un instant, j'avais oublié que toute mauvaise nouvelle pour moi était pour lui une **aubaine** :

– Ce sera bon pour les commerces, bon pour la réputation de la commune…

Il semblait ajouter silencieusement : « Bon pour mon entreprise de mécanique, au bord de la route. »

J'avais mis des années à le comprendre : le maire et ses

datait d'un autre temps dated from another time
auprès de among
braves *here:* good, kind
travaux des champs work in the fields
arrière-petits-enfants great-grandchildren
propre clean
goudronné paved with asphalt
véhicules tous-terrains all-terrain vehicles
motards bikers, motorcyclists
à cent à l'heure at a hundred an hour
s'arrêtent sur des aires de restauration rapide stop at fast-food areas
tuer quelques monstres kill several monsters
s'endorment go to sleep
en zappant while clicking around (with a remote control)
une centaine de chaînes thématiques about a hundred channels with specialized programming
allaient se dégrader was going to deteriorate
Je me voyais déjà intervenir I already saw myself intervening
auprès des pontes with the big shots
les conjurer to beseech/entreat them
que vaudrait ma voix how much would my vote count
face à in view of
décocha le coup de grâce delivered the final blow
Il faut qu'on prenne les devants We have to take the initiative
notre bonne volonté our willingness/desire
j'ai fait réaliser une étude I commissioned a study
justifier to justify
travaux décidés par leurs clients projects decided on by their clients
nous manquons we lack
régulation de la circulation controlling traffic
digne worthy
laissait craindre le pire left me fearing the worst
à chaque extrémité at each end
rond-point a traffic circle, roundabout
feux rouges red lights
n'importe quel bled d'arrière-pays any old hick town in the hinterland
marquer son adhésion to signal its membership
grande piste de circulation sécurisée *in effect:* "safer freeway"
relier link

concitoyens étaient sincèrement fiers de leur village. Seulement, nous ne regardions pas la beauté avec les mêmes yeux. Mon idée de la campagne **datait d'un autre temps** ; je continuais à chercher l'extase bucolique **auprès de braves** paysans qui n'existaient plus ; j'aimais les animaux domestiques qui n'existaient pas davantage, les **travaux des champs** qui avaient disparu eux aussi, et je me consolais en rêvant au bord des ruisseaux. Les **arrière-petits-enfants** des braves paysans se faisaient de leur vallée une tout autre idée. Ils voulaient un décor pittoresque mais **propre** et bien **goudronné** ; ils adoraient les **véhicules tous-terrains** et montraient leur compréhension pour les **motards** qui viennent respirer **à cent à l'heure** la sauvagerie des forêts, **s'arrêtent sur des aires de restauration rapide**, contemplent ce paysage grandiose avant d'aller **tuer quelques monstres** sur une console vidéo, puis **s'endorment en zappant** sur **une centaine de chaînes thématiques.**

Si le maire obtenait ce qu'il m'annonçait, les conditions de vie dans la vallée **allaient se dégrader** jusqu'à l'horreur. **Je me voyais déjà intervenir auprès des pontes** de la SNCF pour **les conjurer** de sauver cette ligne de fret ; mais **que vaudrait ma voix face à** tant d'intérêts économiques ? C'est alors que le premier magistrat de la commune **décocha le coup de grâce** :

– **Il faut qu'on prenne les devants**, qu'on s'adapte, qu'on montre **notre bonne volonté** pour obtenir le label « itinéraire prioritaire ». C'est pourquoi **j'ai fait réaliser une étude**...

Encore un mot qui me terrorise. En économie d'escroquerie, l'activité principale des *bureaux d'étude* consiste à **justifier** les **travaux décidés par leurs clients** – ce qui me fut aussitôt confirmé :

– L'une des conclusions, c'est que **nous manquons** d'un moyen de **régulation de la circulation digne** d'une commune moderne.

Ce langage stéréotypé **laissait craindre le pire** qui arriva :

– C'est pourquoi nous avons décidé d'installer **à chaque extrémité** du village un ***rond-point***...

Le mot était tombé. Autrefois, les petites villes voulaient des **feux rouges** pour montrer qu'elles n'étaient pas si minuscules. Aujourd'hui, **n'importe quel bled d'arrière-pays** aménage des *ronds-points* pour **marquer son adhésion** à la banlieue mondiale, rejoindre la **grande piste de circulation sécurisée** qui doit **relier** les

agglomérations city sprawls
enlaidir spoil, ruin, deface
le moindre bout de campagne *in effect:* every last bit of countryside
ont essaimé have spread/swarmed
essor development
gazons grass
parterres fleuris flower beds
enseignes publicitaires billboards
échangeurs interchanges
se voulait grandiose liked to think of itself as spectacular
infliger partout inflict everywhere
son inépuisable leçon de mauvaise goût its inexhaustable lesson in bad taste
mes oreilles hébétées my dazed ears
ce sera joli it will be beautiful
route à quatre voies four-lane highway
région côtière coastal region
au beau milieu smack in the middle
desséchée dried out
en plein soleil in the hot sun
pots d'échappement mufflers, exhaust systems
leur hôtel en plein air their open-air hotel
accrochaient leur linge entre deux arbres hung out their laundry between two trees
tournoyaient fly around in circles
sourire gêné awkward smile
déchetterie waste collection center
n'étaient que les étapes were nothing but steps
d'un plan prémédité of a premeditated plan
conflit ouvert open conflict
je ne pesais pas lourd I didn't carry much weight
flux d'argent flow of money
occulte secret, clandestine
moteurs du bien public engines of the public good

agglomérations et **enlaidir le moindre bout de campagne.** En vingt ans, les ronds-points **ont essaimé** à tous les carrefours et stimulé l'**essor** d'une fiévreuse esthétique périurbaine. Car au centre du rond, il y a ce point, cet espace vide qu'il faut décorer de diverses façons : par des **gazons**, des **parterres fleuris**, des **enseignes publicitaires** ou des sculptures artistiques. Les créateurs de ronds-points ont ainsi apporté leur note à la transformation du paysage. Avec ses autoroutes et ses **échangeurs**, la civilisation automobile **se voulait grandiose** ; avec ses ronds-points, elle entend se faire coquette, charmante, humaine, et **infliger partout son inépuisable leçon de mauvais goût.**

Les mots du maire tombaient l'un après l'autre dans **mes oreilles hébétées** :

– Évidemment, après le réverbère et l'espace propreté, la solution qui s'impose est d'achever l'aménagement complet du carrefour… Mais, je vous assure, **ce sera joli.**

Sur une **route à quatre voies** du Sud de la France, dans une **région côtière** défigurée par le tourisme de masse, je me rappelle avoir vu un jour plusieurs familles de campeurs installées sur le gazon, **au beau milieu** d'un rond-point. Je suppose que cet emplacement les rassurait. Le passage continuel des automobiles maintenait autour d'eux une présence humaine. Ce cercle de pelouse **desséchée en plein soleil**, exposé à la fumée des **pots d'échappement**, était comme une forme ultime de nature. Installés dans **leur hôtel en plein air**, les vacanciers déjeunaient, dormaient, **accrochaient leur linge entre deux arbres**, parmi les autos qui **tournoyaient** ; et ces créatures paraissaient mieux adaptées que moi au monde circulatoire dans lequel nous vivons.

Le maire me regardait dans les yeux avec son **sourire gêné**. Il savait quel cauchemar représentait pour moi ce nouveau projet ; et je comprenais maintenant que le réverbère et la **déchetterie n'étaient que les étapes d'un plan prémédité** ; une machination qu'on avait choisi de me révéler progressivement pour éviter le **conflit ouvert**… Il était clair aussi que **je ne pesais pas lourd** en regard des priorités : le développement, la mise aux normes de la commune, les **flux d'argent** public, privé, officiel, **occulte**, que recouvraient ces travaux. Quelle importance pouvait avoir mon confort face au jeu d'entreprises qui se désignaient comme les **moteurs du bien public** et dont l'activité reposait sur la corruption mentale des élus, des

truanderie gangsterism
se voit auréolée de vertu is seen as haloed with virtue
elle ne génère que it only generates
chômage unemployment
s'apprêtait was preparing/getting ready to
Ce trop lourd faisceau This too-heavy bundle
Abasourdie Stunned
las weary
ça manquait vraiment that's something we've needed
a paru rassuré seemed reassured
Soulagé Relieved
il a redressé joyeusement la tête he lifted up his head joyfully
On n'échappe pas au progrès We can't escape progress
roue à eau water wheel
laissée en suspens left unresolved
desservir serve
Il pourrait y en avoir d'autres *in effect:* There may (eventually) be others
affluent flood in
contournement bypass, detour
déboule en sens inverse comes charging down the wrong way
à toute allure at top speed
il ne me restait plus qu'à le remercier there was nothing left to do but thank him
lutte fight
inégale unequal
j'ai poussé la politesse jusqu'à raccompagner le maire vers sa Jeep *in effect:* I mustered the courtesy to walk the mayor back to his Jeep
qui recommençait à tomber that was beginning to fall again
il a pris une longue respiration he took a deep breath
givré frosty
ce renfoncement de la montagne this indentation in the mountain
préservé de la route, du réverbère, des poubelles protected from the road, the streetlight, the garbage cans
et bientôt du sens giratoire and soon from the rotary traffic
Emmitouflé Wrapped up snugly

automobilistes, des citoyens ? Que pesais-je face à la **truanderie** d'un système où toute forme d'activité dégageant des flux financiers **se voit auréolée de vertu**, quand bien même **elle ne génère que chômage** et pauvreté ? Que signifiait ma résistance à cette situation alors que je dépendais moi-même d'une entreprise qui, d'un côté, contribuait au désastre accéléré du monde, de l'autre **s'apprêtait** à me rémunérer pour assurer la « communication » positive de ses activités ? **Ce trop lourd faisceau** de contradictions a fini par annihiler ma combativité. **Abasourdie**, je me suis contentée de prononcer sur un ton **las** :

– Bah oui, je comprends, **ça manquait vraiment**...

Le maire **a paru rassuré. Soulagé** par ces mots, **il a redressé joyeusement la tête** :

– Vraiment ? Ça me fait plaisir ! **On n'échappe pas au progrès**, vous en convenez ! Mais on va faire quelque chose de bien, en installant sur ce rond-point un décor qui évoquera le village ; j'ai pensé à une **roue à eau** ; ce serait joli, vu d'ici.

Je sentais dans ma tête un grand vide, quand m'est venue à la bouche cette question **laissée en suspens** :

– Au fait, vous ne m'avez pas dit... Un rond-point, normalement, c'est fait pour **desservir** plusieurs routes. Or il n'y en a qu'une seule, en bas de chez moi.

Le maire avait réfléchi à cette question. Sa réponse est tombée sans hésitation :

– **Il pourrait y en avoir d'autres.** Si vraiment les camions **affluent**, on songe à un itinéraire de **contournement**. Et puis, regardez : rien que ce chemin qui grimpe ici, vous serez bien contente de pouvoir le prendre avec votre taxi sans risque d'accident, quand un véhicule **déboule en sens inverse, à toute allure**.

Comprenant à quelle mort affreuse j'avais échappé des centaines de fois en arrivant chez moi, **il ne me restait plus qu'à le remercier.** La **lutte** était **inégale** et **j'ai poussé la politesse jusqu'à raccompagner le maire vers sa Jeep**, sous la neige **qui recommençait à tomber.** Comme nous passions derrière la maison, **il a pris une longue respiration** pour contempler ce défilé rocheux, tout **givré**, où coule le torrent. J'ai compris qu'il cherchait à me faire plaisir en appréciant **ce renfoncement de la montagne préservé de la route, du réverbère, des poubelles et bientôt du sens giratoire. Emmitouflé** dans sa veste de golf constellée de flocons, il s'est exclamé :

beau petit vallon sauvage beautiful, primitive little valley
Je le sentais sincère I felt he was sincere
aux données nouvelles *here:* to new realities
maintenir vierges maintain unspoiled
de lui en demander davantage to ask more of him
nantis affluent, well-off people
des pays « émergents » "emerging" countries
cet homme de gauche this leftist
qu'ils ont trop profité that they have benefited
et que cela ne peut plus durer and that it cannot last
renoncer à des avantages to give up benefits
horaires *here:* hours, (work) schedules
salaires honteux shameful/disgraceful salaries
qui font pâlir d'envie that make (them) pale with envy
Arc-boutés Buttressed, Braced
grandeur d'âme greatness of soul
y était moins grande wasn't as great (back) then
emplois sûrs secure jobs
se renforçaient sans menacer which grew/increased without threatening
n'étaient pas soumis à la pression du marché weren't subject to the pressures of the marketplace
rentable profitable
croissance growth
innovation technique technical innovation

– Ah, le **beau petit vallon sauvage**… Celui-là, je vous jure qu'on n'y touchera jamais !

Je le sentais sincère. Il aimait cette contrée d'une façon plus réaliste que la mienne, capable de s'adapter toujours **aux données nouvelles.** Il semblait également conscient de la nécessité, pour le bonheur de l'automobiliste et du promeneur, de **maintenir vierges** un certain nombre de zones protégées. Il était difficile **de lui en demander davantage.**

Jeudi 5

À la télévision, un sociologue assure que notre société de « **nantis** » doit consentir des sacrifices. La « mondialisation, assure-t-il, n'autorise plus à penser égoïstement. » L'heure est venue de partager nos richesses avec la population **des pays « émergents »**. J'admire l'assurance avec laquelle **cet homme de gauche**, au nom de la générosité, explique aux salariés **qu'ils ont trop profité et que cela ne peut plus durer**. Sur le ton de la justice sociale, son discours rejoint celui des chefs d'entreprise : le moment est venu de **renoncer à des avantages**, à des **horaires et** à des **salaires honteux qui font pâlir d'envie** tous les pauvres de la Terre. **Arc-boutés** sur leur petit confort, les fonctionnaires manquent de **grandeur d'âme** ; ce sont eux qui ruinent la France, en refusant de sacrifier ce qu'on leur avait promis.

J'ai grandi dans un autre monde, un autre système, qu'on appelait « social-démocratie ». Ce n'était pas une société égalitaire, mais l'inégalité **y était moins grande**. Mes parents, leurs amis, bénéficiaient pour la plupart d'**emplois sûrs** et d'avantages sociaux qui **se renforçaient sans menacer** les finances publiques ; les grands services assurés par l'État **n'étaient pas soumis à la pression du marché** ; la règle était l'équilibre entre le plus **rentable** et le moins rentable, et cela semblait promis à durer toujours. On nous assurait même que la **croissance**, l'**innovation technique** permettraient à chacun de mieux vivre en travaillant moins.

Le rêve est passé. Tout ce qui n'est pas immédiatement rentable doit disparaître. Depuis trente ans, de crise en crise, de mauvais choix

s'est polarisée sur un but unique was completely focused/ concentrated on a single goal
augmenter les marges et les profits increase margins and profits
normes comptables accounting standards
obsédants obsessive
concurrence competition
actionnaires shareholders
ouverture des frontières opening of borders
se déliter to fall apart
débouchera sur will result in
se prolonge goes on/continues
pourquoi un société si stable devait-elle se décomposer why would such a stable society have to disintegrate/break down
Se sont-ils continuellement trompés Were they continually mistaken
Ont-ils changé de cap Have they changed course
quiconque *here:* anyone
instituteur schoolteacher
s'égarent sur les chemins get lost/go astray on the paths
je n'y suis pas I am not there
mal fichue feeling lousy
J'ai même renoncé à I even gave up
sortir couper du bois going out to cut wood
d'affronter *here:* of facing
cet air sec et glacé that dry and icy air
me fait frissonner makes me shiver
elle m'a paru inquiétante it seemed disturbing to me
tourment passager passing torment
grippe flu
affaires qui reprendront business that will resume
impuissante helpless, powerless
lasse weary
quoi que ce soit whatever it is
Soudain Suddenly
craquement creaking
charpente framework
travailler *here:* to warp
se resserrer to tighten
se distendre to stretch/strain
au gré du vent et de l'humidité at the will of the wind and the humidity

en mauvaise solution, l'attention **s'est polarisée sur un but unique** : **augmenter les marges et les profits**, selon des **normes comptables** toujours plus exigeantes. Certains concepts sont devenus **obsédants** : **concurrence, actionnaires, ouverture des frontières**, et tout a commencé à **se déliter**. Depuis trente ans, des spécialistes annoncent que l'effort **débouchera sur** la « sortie du tunnel », mais le tunnel **se prolonge** et chacun doit consentir de nouveaux sacrifices, qui renforcent la précarité ; je me demande : **pourquoi une société si stable devait-elle se décomposer** ? Est-ce un choix que nous avons accompli ou que d'autres ont fait pour nous ? Les responsables ont-ils menti ? **Se sont-ils continuellement trompés** ? **Ont-ils changé de cap** sans en informer **quiconque** ?

Vendredi 6

Un peu fiévreuse, je lis au coin du feu les aventures du Loup de Noiregoutte – un recueil de légendes locales recueillies par un **instituteur** au début du XXe siècle. Les mystères de la forêt, les enfants qui **s'égarent sur des chemins** : toute l'ancienne poésie montagnarde est là… mais **je n'y suis pas**, plutôt **mal fichue** ce soir. **J'ai même renoncé à sortir couper du bois**. Loin de me stimuler comme d'ordinaire, la simple idée **d'affronter cet air sec et glacé me fait frissonner** dans mon fauteuil. Cet après-midi, comme j'appuyais mon visage sur le carreau pour regarder tomber la neige, **elle m'a paru inquiétante**. Elle ne me parlait plus d'extase, de fusion avec la nature, de beauté perdue ; seulement de mon angoisse, de ma réclusion en cette saison froide qui commence. Seul le feu dans la cheminée m'apporte un réconfort face au **tourment passager** où se mêlent l'hiver, la **grippe**, les **affaires qui reprendront** bientôt à Paris, les transformations du village que je dois subir, **impuissante** et trop **lasse** pour y changer **quoi que ce soit**…

Soudain, j'entends un bruit. D'abord je crois qu'il s'agit d'un **craquement** de la **charpente** qui semble continuellement **travailler**, **se resserrer, se distendre au gré du vent et de l'humidité**. Je replonge dans mon livre mais, bientôt, le même bruit sec revient

je tends l'oreille I prick up my ears
coups de marteau blows of a hammer
essayait de forcer la fenêtre tried to force open the window
sans se presser without being in a hurry
cambrioleur burglar
en pleine tempête in the middle of a storm
hantée haunted
frayeurs fears
sourdement *here:* silently
me tenailler to torment/torture me
suite infinie infinite succession
ne plus la supporter not being able to stand it anymore
qui vous brûlaient la plante des pieds who burned the soles of your feet
pour s'emparer de quelques pièces d'or in order to grab/seize a few gold coins
retrouvés pendus found hanged
crâne fracassé à coups de gourdin skull smashed with (blows of) a club
passéisme obstiné obstinate love of the past
lien link
faits divers news briefs
sans rien laisser au hasard without leaving anything to chance
sa proie his prey
il coupera les fils du téléphone he will cut the telephone lines
ne capte pas *here:* can't get/pick up a signal
Suant de terreur Sweating with terror

au-dessus de ma tête et **je tends l'oreille.** On dirait que c'est dans la chambre rose : un long silence puis, à nouveau, ce bruit précis, semblable à plusieurs brefs **coups de marteau** ; comme si quelqu'un **essayait de forcer la fenêtre** obstinément, **sans se presser.** Je n'aime pas cela ; je n'aime pas cette peur. Je tente de me rassurer : pourquoi un **cambrioleur** entrerait-il par l'étage supérieur, **en pleine tempête**, quand toutes les ouvertures du rez-de-chaussée sont accessibles ?

Trop **hantée** par l'idée que cela puisse arriver vraiment, je ne parle presque jamais de mes **frayeurs.** C'est le revers des enchantements, du goût de la nature et des maisons perdues ; cette angoisse tapie que j'oublie la plupart du temps revient parfois, **sourdement, me tenailler.** Le monde paysan regorge de légendes noires dans des fermes humides et des vallées sans soleil ; c'est une **suite infinie** de dépressions et de suicides. Beaucoup de ceux qui naissent sur cette terre finissent par **ne plus la supporter** ; ils regardent les sapins comme des spectres, les lacs comme des mares au Diable. Les grincements nocturnes de portes et de fenêtres raniment le Moyen Âge des maraudeurs **qui vous brûlaient la plante des pieds pour s'emparer de quelques pièces d'or** ; puis toute une litanie de meurtres obscurs, de fermiers **retrouvés pendus** dans leur maison ou le **crâne fracassé à coups de gourdin**, quand ils ne se suicidaient pas en plongeant eux-mêmes la tête dans la rivière.

Avec mon **passéisme obstiné**, je devrais trouver une certaine poésie à ces vieux crimes, y voir un témoignage du **lien** profond, sauvage et brutal, entre les hommes et la nature. Sauf qu'on pourrait également souligner l'horrible continuité qui relie ces crimes ancestraux à la fantasmagorie contemporaine, celle des abominations perpétrées par des *psychopathes.* Voilà mon cauchemar nourri de **faits divers** et de films d'horreur : le *serial killer* qui prépare longuement, méthodiquement son crime **sans rien laisser au hasard**, pour s'assurer la domination cruelle de **sa proie.** Je connais déjà certains éléments du scénario : **il coupera les fils du téléphone** (le mobile **ne capte pas** chez moi) ; il frappera à la porte et j'entendrai ses coups comme les coups du sort. **Suant de terreur**, j'hésiterai encore à m'approcher, à ouvrir en pleine nuit, car on n'accueille que de mauvaises visites à cette heure-là. Je m'approcherai quand même, espérant qu'il s'agisse d'un villageois

calendrier des pompiers firemen's calendar
Soulagée Relieved
je l'accueillerai I will welcome him
je suis folle de songer à I'm crazy to think of/invent
de pareilles horreurs such horrors
je rirai intérieurement I will laugh inside
un quelconque prétexte any pretext whatsoever
embusqués waiting/lying in ambush
ne fracasse un carreau (might) break a windowpane
pioche a pickax
monter d'un cran ratchet up
me faufiler dans to edge my way into
franchir to cross
Il suffit qu'un petit virus grippal All it takes is a little flu virus
sifflements whistles
chouette owl
grimpe l'escalier climb the staircase
Cet élan This impulse/impetus
maîtriser to control
ma tête affolée my panic-stricken/panicky head
je brandis I brandish/wield
telle une sorcière d'antan like a witch from long ago
poignée door handle
appuyant…sur pushing simultaneously on
interrupteur light switch
coup de massue sledgehammer blow
volet est mal accroché shutter is loose
rafales le font claquer gusts of wind are making it bang

venu me vendre le **calendrier des pompiers. Soulagée, je l'accueillerai**, lui offrirai un verre de vin, en me répétant que **je suis folle de songer à de pareilles horreurs** ; et **je rirai intérieurement**, soulagée que la vie continue.

Mais peut-être ce villageois aimable, après s'être invité chez moi sous **un quelconque prétexte**, glissera-t-il insidieusement du sourire aux menaces, puis à la violence ? À moins qu'un de ses complices **embusqués ne fracasse un carreau** (il n'aura qu'à prendre une **pioche** dans la remise) pour faire **monter d'un cran** la terreur. Dans mes soirs de tourments, j'ai calculé les différentes façons de m'enfuir par la fenêtre, à condition d'être rapide, de courir pieds nus dans la neige, de **me faufiler dans** le pré, de **franchir** le ruisseau. Mes chances sont réduites s'ils sont plusieurs et contrôlent les accès ; mais j'ai prévu tout cela : la souffrance et la mort. **Il suffit qu'un petit virus grippal** s'empare de moi pour que la menace grandisse à nouveau, qu'elle se précise par mille craquements, mille détails, comme ces **sifflements** de Sioux que j'entends au-dehors et qui sont probablement ceux d'une **chouette.**

Quand le petit coup de marteau recommence, après une nouvelle interruption, je me lève du fauteuil et **grimpe l'escalier** vers la chambre rose. **Cet élan** m'aide à **maîtriser** ma nervosité. Prête à l'affrontement, je sais que les risques sont minimes hors de **ma tête affolée.** Mais, comme pour me prouver que je peux me battre, je prends la hachette accrochée au mur. Je vis seule et voici ma seule arme que **je brandis** en grimpant les marches, **telle une sorcière d'antan.** Un bruit encore. D'un geste sec, je tourne la **poignée** de la chambre rose et pousse brusquement la porte, **appuyant simultanément sur l'interrupteur** qui illumine la pièce froide ; on dirait Superwoman ; mais la pièce est parfaitement déserte. Pas d'assassin, pas de sadique. Prudente, je m'approche de la fenêtre où je vais peut-être découvrir un visage collé de l'autre côté du carreau, qui m'accordera un affreux sourire puis laissera tomber le **coup de massue.**

Personne ne se tient derrière la fenêtre que j'ouvre timidement, tandis que s'engouffre le vent d'hiver. Je m'aperçois alors que le **volet est mal accroché.** Des **rafales le font claquer** par instants ; rien d'autre.

me remonte le moral raises my spirits
Mon supplice My torture/agony
n'arrivent guère hardly ever happen
je me laisse emporter I let myself be carried away
esprit errant wandering spirit
revêtir cette apparence to assume/take on this appearance
fillette le délivre young girl frees/liberates him
crépusculaire twilight
effrayant alarming, frightening
désinvolture offhand manner
l'avait agacé had annoyed/irritated him
il se pourrait it could be
seuil doorstep
régler ses affaires avec moi to get even with me
j'ai horreur des visites nocturnes I hate/loathe night visits
à cette heure tardive at this late hour
« J'arrive! » "I'm coming!"
j'entrouvre I crack open
à toute vitesse quickly
m'enfuir to flee
anodine harmless
paraître folle seem crazy
munie de *here:* armed with
Je la dissimule I hide/conceal it
le colt the revolver
mal en point in a bad way
à l'allure vacillante with the unsteady/wobbly walk

Cette excellente nouvelle **me remonte le moral. Mon supplice** n'est pas encore pour ce soir. Je redescends l'escalier presque joyeuse, songeant que ces histoires affreuses **n'arrivent guère**, ou rarement, ou seulement à ceux qui les espèrent. Quant à moi, il me suffira de replonger, au coin du feu, dans mes légendes forestières, mes contes d'enfants perdus et de bêtes sauvages qui, selon leur humeur, sont là pour les dévorer ou pour les sauver... J'ai remis une bûche dans la cheminée ; **je me laisse emporter** par le récit, découvrant que le loup de Noiregoutte est en fait un **esprit errant**, condamné à **revêtir cette apparence** jusqu'à ce qu'une **fillette le délivre**. Je l'accompagne sous les sapins au cœur du royaume **crépusculaire** quand j'entends, *bien distinctement*, plusieurs coups frappés sur la porte d'entrée.

Cette fois-ci, j'ai vraiment peur. Après l'épisode des volets, et la première poussée d'angoisse, après la récapitulation des menaces, ces trois coups secs dans la nuit ont quelque chose d'**effrayant**. Comme si mes pensées avaient appelé le Diable, comme si ma **désinvolture l'avait agacé, il se pourrait** qu'il se présente vraiment sur le **seuil** de la maison pour **régler ses affaires avec moi**. Les trois mêmes coups sont frappés à la porte une seconde fois. J'essaie de me calmer mais **j'ai horreur des visites nocturnes**. Qui donc aurait gravi le chemin **à cette heure tardive** ? Et pour m'annoncer quoi ? Fidèle au scénario imaginé tout à l'heure, je m'attends au pire et prépare mon plan de survie. Après avoir crié : « **J'arrive** ! », **j'entrouvre** la fenêtre du côté du pré (il suffira, en cas de malheur, de me précipiter **à toute vitesse** et de **m'enfuir** dans la neige). Après avoir enfilé rapidement mes tennis, je reprends la hachette dans ma main droite.

Évidemment, si la visite est **anodine**, je vais **paraître folle, munie de** cette arme barbare. **Je la dissimule** donc derrière mon dos – pour le cas où je devrais me défendre. Après tout, mon vieil oncle, quand il séjournait seul dans cette maison, gardait à portée de main **le colt** qu'il possédait depuis la guerre. Toute concentrée et prête à me défendre, j'ouvre la porte au monstre qui va surgir... Mais c'est le visage de Grégory, pâle et **mal en point**, qui s'avance vers moi et tombe presque sur mon épaule.

L'intrusion de mon jeune ami **à l'allure vacillante** me rassure

À mieux y regarder Looking at him more closely
saoul drunk
titube staggers, totters
ivrognes drunkards
son origine sociale his social origins
son manque de relations his lack of connections
radotent ramble
poivrots drunks
picole boozes
minable a pathetic person
banale misère de l'artiste banal misery of the artist
que personne n'a forcé à devenir artiste whom nobody forced to be an artist
qui en veut who blames
il réclame he asks for
s'assoupit dozes off
couverture blanket
sur ses genoux et sur ses épaules over his knees and shoulders
braises rougeoient dans la cheminée embers glow in the fireplace
tout en enfilant ma veste while slipping on my coat

et me désole à la fois. **À mieux y regarder**, Greg paraît complètement **saoul.** Il **titube** un moment, puis vient s'asseoir près du feu et commence à me parler avec l'obstination fatigante des **ivrognes.** Il est question de ses œuvres, de leur manque de succès, des raisons qui l'expliquent : **son origine sociale**, **son manque de relations**, la petite mafia de l'art contemporain qui règne là-bas, dans sa ville… Ses mots tournent en rond, ses idées **radotent**, il me demande à boire encore et je m'efforce de le calmer tout en le considérant tristement.

– Pourquoi tu me regardes comme ça, je te fais pitié ?

– Non, je suis contente de te voir, mais tu as trop bu.

C'est le point faible de Grégory, fidèle en cela à la tradition du lieu où les **poivrots** se succèdent de génération en génération. Quoique monté à la ville, quoique devenu artiste, quoique « bizarre et méprisant » aux yeux de ses concitoyens, il **picole** exactement comme eux. Je supporte mal de le voir ainsi, comme un **minable**, quand j'ai tant de plaisir à observer son intelligence, sa jeunesse, sa séduction, son ambition. Je n'aime pas cette **banale misère de l'artiste que personne n'a forcé à devenir artiste**, et **qui en veut** au monde entier de son injustice. Mais ce n'est pas le moment de le dire : mon vague instinct maternel reprend le dessus. Je parle avec calme, je m'assieds près de lui et, comme **il réclame** une bière, je l'assure que je n'ai plus que du Coca. La bûche qui se consume exerce un effet calmant et Greg **s'assoupit** devant la cheminée. Je vais chercher une **couverture**, que je pose **sur ses genoux et sur ses épaules** ; puis je m'installe au bureau et je prends un stylo pour noter les principaux épisodes de cette journée.

Près du feu qui s'éteint, Grégory me sourit dans un demi-sommeil. Il a recouvré son beau visage et articule, les yeux fermés :

– Fais encore du feu, s'il te plaît, j'ai froid…

Dehors, la neige tombe. Des **braises rougeoient dans la cheminée**. Nous pourrions être les héros d'un conte d'hiver que je commence à m'imaginer, **tout en enfilant ma veste** pour aller prendre quelques bûches dans la remise.

sous la bise chargée de flocons épais under the (north) wind laden with thick flakes
frissonner shiver
s'enfonçaient jusqu'aux mollets sank in up to my calves
j'avais encore mal à la tête I still had a headache
j'ai perdu mon temps I wasted my time
l'ampoule a éclaté the lightbulb blew out
lueur gleam
bûchettes small pieces of wood
mou soft
rafales gusts of wind
me fouettaient le visage whipped my face
j'ai cru entendre I thought I heard
je ne me suis pas affolée I wasn't panic-stricken
a résonné reverberated
lointaine et pourtant distincte far away and yet distinct
m'interpellait called out to me
reconnaître to recognize
ce qui n'était guère étonnant which was hardly surprising
en pleine nuit in the middle of the night
Par ce temps-là At that time (of night)
J'ai amorcé I initiated/started
ma jambe s'est engloutie jusqu'au genou my leg was stuck (in the snow) up to the knee

J'ai traversé le pré dans l'air glacial. Depuis l'arrivée de Greg, j'avais oublié ma fièvre mais, à présent, **sous la bise chargée de flocons épais**, je recommençais à **frissonner.** La neige soufflée par le vent recouvrait le sentier de la remise. Mes chaussures **s'enfonçaient jusqu'aux mollets ; j'avais encore mal à la tête** et je voulais rentrer vite au chaud, mais **j'ai perdu mon temps** à l'entrée de la cabane pleine de petit bois. Au moment d'appuyer sur l'interrupteur, **l'ampoule a éclaté.** Tant pis ! Je la changerais demain. Éclairée par la vague **lueur** du réverbère, au loin, j'y voyais suffisamment pour disposer quelques **bûchettes** dans un cageot. Je me suis dirigée de nouveau vers la maison en tremblant, les pieds luttant contre le sol **mou** et froid, tandis que des **rafales** plus violentes **me fouettaient le visage.** C'est alors que **j'ai cru entendre** un appel :

– Ho, là-bas !

C'était le soir des bruits inattendus ; mais **je ne me suis pas affolée** comme tout à l'heure. Grégory était dans la maison ; je me sentais moins seule ; il fallait cesser de voir des menaces partout... Pourtant, la même voix **a résonné** de nouveau, **lointaine et pourtant distincte**, qui semblait crier vers moi :

– Ohé, s'il vous plaît !

Embarrassée par mon cageot de bûchettes, les pieds enfoncés dans la neige, j'ai tourné la tête en direction des poubelles sous le réverbère ; l'appel semblait venir de là... Mais ma vision restait troublée par les flocons, tandis que la voix – une voix d'homme apparemment – **m'interpellait** plus fort en disant :

– Florence, il faut qu'on se parle !

J'avais l'impression de **reconnaître** cette voix ; **ce qui n'était guère étonnant** puisque je connais tous les habitants du village... Sauf qu'elle n'avait pas l'accent d'ici. Pourquoi, d'ailleurs, un villageois serait-il venu m'appeler depuis les poubelles, **en pleine nuit ? Par ce temps-là**, les montagnards restent chez eux. Malgré la fièvre et les frissons, je suis restée immobile, hésitante. **J'ai amorcé** un mouvement en direction du pré ; mais la neige était profonde et **ma jambe s'est engloutie jusqu'au genou**... Au même

au cœur des précipitations in the eye of a storm
rideau se déchire curtain tears
qui faisait de grands gestes who was waving his arms (at me)
complet sombre dark suit
semblait gelé dans cette tenue trop urbaine *in effect:* looked frozen in this "slick urbanite" outfit
Il se frottait les bras pour se réchauffer He was rubbing his arms to get warm
comme s'il devait poursuivre as if he had to pursue
J'éprouvai quelques doutes *in effect:* I felt somewhat doubtful
gravir le talus to climb the embankment
piétinait he stamped (his feet)
il s'est effondré plusieurs fois he fell down several times
Que venait-il faire ici What did he come here to do
je ne distinguais même plus I could no longer make out
quelques pas several steps
hors du sentier off the path
Perdue Lost

moment, l'horizon s'est éclairé brusquement, comme il arrive **au cœur des précipitations**, quand le ciel se calme et que le **rideau se déchire.**

Sous ce coup de projecteur – maintenant tout était blanc jusqu'au fond de la vallée, les prés, les toits, les arbres de la forêt –, j'ai aperçu la silhouette d'un homme **qui faisait de grands gestes** dans ma direction, près des containers de tri sélectif... Il portait un **complet sombre**, une chemise claire, une cravate de couleur et **semblait gelé dans cette tenue trop urbaine. Il se frottait les bras pour se réchauffer** et m'a adressé d'autres gestes en répétant :

– Florence, écoutez-moi... Il faut qu'on parle de la réduction des coûts !

Il avait encore crié cette phrase qui me laissait perplexe, les deux pieds enfoncés dans la neige. Tandis qu'il lançait son injonction, il m'a semblé reconnaître la silhouette de Jean-Bertrand Galuchon, Jean-Bertrand de la SNCF, chez moi, en pleine nuit, **comme s'il devait poursuivre** une négociation importante. **J'éprouvai quelques doutes** sur l'exactitude de ma vision, probablement liée à la fièvre. Pourtant cet homme avait bien l'apparence de Jean-Bertrand, dans la lumière du réverbère. Appuyé d'une main sur le container vert (celui des bouteilles) qui émergeait de la poudre blanche, il me regardait fixement comme pour attendre une réponse ; et comme celle-ci ne venait pas, il s'est mis en mouvement vers le pré, puis il a entrepris de **gravir le talus.** Il **piétinait** dans la neige en pantalon de ville ; il soufflait, il tombait, levait de plus en plus difficilement les jambes ; mais il continuait avec obstination, comme dans un film d'horreur.

À nouveau la peur s'est emparée de moi. Jean-Bertrand marchait sur le pré dans ma direction ; **il s'est effondré plusieurs fois** sous l'averse qui recommençait, frénétique. Le fond de la vallée, puis les poubelles se sont effacés de nouveau, mais la silhouette du cadre de la SNCF s'approchait en répétant :

– Il faut qu'on parle du reclassement des trains déclassés...

Que voulait-il ? **Que venait-il faire ici** ? Pourquoi ce comportement absurde ? J'aurais voulu franchir les derniers mètres qui me séparaient de la porte et rejoindre Grégory près du feu ; mais quand je me suis retournée, mon cageot entre les bras, **je ne distinguais même plus** la maison. Ayant fait **quelques pas hors du sentier**, je ne savais plus de quel côté me diriger. **Perdue** dans le

tourbillon whirlwind
à chaque enjambée with each stride
je devais reprendre mon souffle I had to catch my breath again
nuée blanche white cloud
Avait-on apprécié Had they valued
Me convoquait-on d'urgence Were they urgently summoning me
Allait-on me proposer des avantages financiers Were they going to offer me financial perks
S'agissait-il d'un malade mental Were we talking about a nut case
faisait une fixation et m'avait suivie jusqu'ici *in effect:* was stalking me
trébuchant stumbling
brouillard neigeux the snowy fog
était-elle de ce côté-ci ou de ce côté-là was it this way or that way
je m'enlisais I was getting bogged down

tourbillon, je cherchai la lueur du réverbère dont le halo jaunâtre avait disparu lui aussi. J'allais bien finir par trouver ; sauf qu'**à chaque enjambée je devais reprendre mon souffle**. Soudain, avec horreur, j'ai vu apparaître à nouveau la silhouette de Jean-Bertrand Galuchon qui s'approchait dans la **nuée blanche**, accomplissant un effort extrême et tendait son visage exalté, rougi par le froid, toujours aussi ardent pour m'expliquer :

– Florence, il faut qu'on parle du reclassement des trains express et du déclassement des auto-rails…

Était-il vraiment sérieux ? **Avait-on apprécié** mes remarques, lors de cette réunion, au point que mon intervention à la SNCF serait devenue indispensable ? **Me convoquait-on d'urgence** à Paris ? **Allait-on me proposer des avantages financiers** ? **S'agissait-il d'un malade mental** qui **faisait une fixation et m'avait suivie jusqu'ici** ? À cette idée, j'ai lâché le cageot et j'ai commencé à m'enfuir, **trébuchant** dans la couche profond pour échapper à cet homme. Je ne savais plus où j'allais dans ce **brouillard neigeux**. Plusieurs fois, j'ai appelé Grégory, mais la maison **était-elle de ce côté-ci ou de ce côté-là** ? Il n'y avait plus rien. Gelée, frissonnante, j'entendais encore la voix :

– Nous avons revu le système de réservation par Internet. Il est important que je vous explique…

Je me précipitais droit devant moi, à chaque pas retenue par la neige où **je m'enlisais**. Je marchais seule, poussée par la peur et l'obstination.

luttait contre le vent fought against the wind
Son genou se dressait Her knee straightened
hisser to pull up/lift
taille waist
collaient stuck
front forehead
dégoulinait trickled/dripped
joues cheeks
oreilles rosies reddened ears
s'estompa blurred (the landscape)
s'enfonçait went further into
nettes *here:* distinct, clear
hêtres effilés slender beech trees
beauté désolée sad beauty
squelettes skeletons
enjambées strides
chemin communal commune road
déblayée cleared
moins épaisse less thick
bise fouettait wind whipped
cou neck
doigts gelés frozen fingers
pot de camp milk jug
ramener à la maison to bring back to the house
un bon lait chaud some nice warm (i.e., straight from the cow) milk
il fallait avancer davantage she had to move farther ahead

Florence ***luttait contre le vent. Son genou se dressait*** *comme pour la* ***hisser*** *hors du sol, puis elle retombait dans la couche épaisse, jusqu'à la* ***taille.*** *À chaque coup de vent, une neige légère se soulevait pour se mêler à celle qui tombait du ciel. Les flocons* ***collaient*** *à son* ***front,*** *l'eau froide* ***dégoulinait*** *sur son nez, ses* ***joues,*** *ses* ***oreilles rosies.*** *À nouveau l'averse* ***s'estompa*** *et Florence découvrit qu'elle s'était encore éloignée de la maison. Elle* ***s'enfonçait*** *maintenant dans le petit défilé du torrent mais cela, curieusement, cessa de l'inquiéter. À nouveau, les formes étaient* ***nettes*** *au cœur de la nuit. Sur sa gauche, elle reconnut un bois de* ***hêtres effilés*** *dont les branches nues, couvertes de poudre et de givre, avaient la* ***beauté désolée*** *de jeunes* ***squelettes.*** *Florence les regarda avec un sourire : elle avait toujours aimé ces formes humaines de la nature. Puis elle leva le genou comme s'il fallait continuer.*

Encore quelques ***enjambées*** *et elle retrouva le* ***chemin communal*** *où la couche, régulièrement* ***déblayée,*** *était* ***moins épaisse.*** *La* ***bise fouettait*** *ses joues, son* ***cou,*** *ses oreilles et ses* ***doigts gelés*** *; mais cette sensation la gênait moins, car elle savait qu'à l'autre bout du sentier, tout en haut, se trouvait la ferme de Paul où elle se rendait régulièrement depuis l'enfance. Cinquante ans plus tôt, elle y grimpait déjà avec son* ***pot de camp,*** *pour* ***ramener à la maison un bon lait chaud.*** *Il n'était plus question de faire demi-tour. Elle allait continuer à marcher droit devant elle, certaine que, là-bas, les choses retrouveraient leur sens commun.*

Jean-Bertrand avait disparu ; mais ***il fallait avancer davantage*** *pour chasser cette mauvaise vision. Quand Florence pénétra dans la*

son pas se fit plus aisé it was easier for her to walk
pente slope
chargée de sang full of blood
poitrine chest
Ensevelie *here:* Enshrouded
pans de toit roof sections
cessé stopped
crânes tonsurés shaved heads
Proche ou lointain Near or far away
massifs boisés wooded mountains
Jamais elle ne s'était sentie aussi proche She had never felt so close
tel quel as it was
rodés *here*: established/time-tested
éprouva experienced
appentis lean-to, shed
prolongeait extended from
toile d'araignée glacée icy spider web
toqua knocked
fourneau à bois wood stove

forêt, le chemin sous les conifères était moins enneigé encore et ***son pas se fit plus aisé****. Gravissant fermement la* ***pente****, elle entendait siffler sa respiration* ***chargée de sang*** *; le cœur battait fort dans sa* ***poitrine****. Sans penser à rien d'autre, elle grimpa pendant quinze minutes, franchit le dernier rideau d'arbustes et déboucha enfin sur la haute prairie.* ***Ensevelie*** *dans la neige au milieu de la clairière, la ferme de Paul émergeait sous ses deux grands* ***pans de toit****. Une ampoule économe et jaunâtre de vingt watts brillait derrière la fenêtre de la cuisine. L'averse avait complètement* ***cessé****. Florence s'interrompit un instant et regarda autour d'elle. À l'horizon se dressaient les sommets nus, comme autant de* ***crânes tonsurés*** *entourés de sapinières immenses.* ***Proche ou lointain****, tout le paysage se détaillait avec précision ; on distinguait parfaitement les* ***massifs boisés****, les champs, les maisons, les routes, chaque tache claire et chaque tache obscure ; et cette vision nocturne procura à Florence une joie très vive.* ***Jamais elle ne s'était sentie aussi proche*** *de ce paysage ondulant à l'infini.*

Elle marcha encore vers la ferme et, plus elle s'en approchait, plus sa bonne humeur grandissait à l'idée que tout était là, préservé, ***tel quel****. La vieille demeure s'accrochait à sa pente comme une excroissance de la montagne ; Paul y vivait toujours dans un lien étroit avec les saisons et les bêtes, selon des rythmes* ***rodés*** *par plusieurs siècles de vie rurale. Une lente adaptation aux éléments avait appris aux humains comment vivre dans ces fermes solitaires. Arrivée près de la maison, Florence* ***éprouva*** *un bonheur intense devant les carreaux du petit* ***appentis*** *qui* ***prolongeait*** *la maison : la neige avait soufflé sur la vitre quelques constellations d'hiver, comme une* ***toile d'araignée glacée****. La vie couvait sous ces carreaux et ces vieilles planches.*

La remise n'était jamais fermée. Florence poussa la porte et sentit la bonne odeur du foin. Sous l'appentis, la fontaine coulait dans son bac en grès avec une énergie fraîche, avant de rejoindre la source. En tendant l'oreille, elle discerna la lente respiration des vaches dans l'étable. Un faible rayon de lumière échappé de la cuisine éclairait sur le sol pavé toute une collection de sabots : les grands sabots de Paul et d'autres, plus petits, comme dans une ancienne famille de cultivateurs. Un peu surprise, Florence ***toqua*** *à la porte et ouvrit comme elle en avait l'habitude ; mais une silhouette inconnue avait pris la place de Paul, près du* ***fourneau à bois****. Une grande femme au visage sévère, vêtue*

à la peau cuivrée with leathery skin
défigurée par un bec-de-lièvre disfigured by a harelip
affolés panic-stricken
dévisageaient stared at
pique en fer iron pike
paysan attablé peasant sitting at the table
elle le reconnaissait sans aucun doute she recognized him without any doubt
encadrée framed
étourdissement dizzy spell
se heurtaient were colliding
se chamaillaient were bickering/squabbling
biche traquée hunted doe
plissa le front wrinkled her brow
bise insinuante penetrating wind
recoin corner
égouttoir en bois wooden drainboard/racks
chiffon rag

d'une blouse noire, la regardait fixement. Autour de la table se tenaient un homme de cinquante ans ***à la peau cuivrée****, et trois enfants – dont une fille adolescente* ***défigurée par un bec-de-lièvre*** *sous des yeux* ***affolés*** *– ; les deux petits* ***dévisageaient*** *Florence avec timidité. Seule la femme restait dure et impassible ; elle s'approcha de la cuisinière munie d'une* ***pique en fer****, souleva la plaque et jeta une bûchette dans le feu. Un chat bondit du haut du buffet et atterrit sur la table au milieu des enfants, tandis que l'homme s'adressait à Florence pour expliquer :*

– Paul n'est pas là. Il est allé chercher Marcel à la ferme des Alouettes. Ils vont revenir pour tuer le cochon. Vous pouvez l'attendre...

Comme il parlait, Florence songea qu'elle connaissait cet homme. Et, chose étrange, il s'agissait du père de Paul. Hypothèse improbable, puisque le ***paysan attablé*** *était encore jeune et que le père de Paul était mort vieux depuis longtemps. Pourtant,* ***elle le reconnaissait sans aucun doute*** *: elle l'avait rencontré petite fille ; puis elle avait souvent regardé sa photo* ***encadrée*** *sur le buffet. C'était lui, certainement. Florence éprouva un léger* ***étourdissement****, comme si le passé et le présent* ***se heurtaient****. Au même moment la femme en blouse lui accorda un sourire et proposa du café. Florence accepta ; elle s'assit à la table où les petits* ***se chamaillaient****. L'adolescente au bec-de-lièvre l'observait toujours de son regard de* ***biche traquée****. Au bout d'un moment, l'homme se leva sans un mot et se dirigea vers l'étable. Florence échangea quelques mots avec la femme :*

– C'est beau, la montagne, avec toute cette neige. La fermière ***plissa le front*** *avec appréhension :*

– Oh non, je n'aime pas la neige. Je compte chaque jour jusqu'à la fin de l'hiver.

Le regard de Florence s'éclaira. Cette idée la mettait en joie : elle comprenait que cette femme n'aime pas la neige qui signifie le froid, l'hiver, la solitude. Avec sa ***bise insinuante****, la neige était une mauvaise compagne des paysans ; alors qu'elle-même, Florence, aimait la neige comme un décor qui la ramenait aux sources d'une humanité perdue. Dans un* ***recoin*** *de la pièce, des fromages reposaient dans des formes métalliques sur l'****égouttoir en bois****. Toute la fortune de cette famille où chaque objet possédait une valeur presque incompréhensible désormais : une bûche pour le feu,un morceau de sucre pour le café, un* ***chiffon****, un*

mépris scorn, contempt
émois emotions
citadine city dweller
qui n'existaient plus nulle part ailleurs that no longer existed anywhere else
sifflement whistling
étendue expanse
baies berries
dégel (spring) thaw
frémit trembled
Affolée Panic-stricken
bûcheron lumberjack
routier truck driver
poivrot drunkard
Vêtus comme des paysans d'autrefois Dressed like peasants from the past
ils brandissaient des fourches they brandished pitchforks
les doigts autour de la tasse her fingers (wrapped) around the cup
se faisaient plus agressifs got/became more aggressive

fromage, une paire de sabots… Tout cela faisait sourire Florence, sans aucun ***mépris****. Elle savait ridicules ses* ***émois*** *bucoliques de* ***citadine*** *mais, bizarrement, la pauvreté de ces fermiers la rassurait, parce que c'était une pauvreté pleine d'histoires, avec ses animaux, ses greniers à foin, ses contes* ***qui n'existaient plus nulle part ailleurs*** *et disparaîtraient bientôt ici même. Soudain, Florence eut l'impression d'entendre à nouveau des voix ; puis des cris qui s'approchaient avant de se perdre dans le* ***sifflement*** *de la tempête. Inquiète, elle regarda la femme qui serrait entre ses mains le café chaud et continuait à parler toute seule en faisant des grimaces :*

– Mon Dieu, que je n'aime pas l'hiver ! Ces arbres nus, ce vent glacé, c'est triste, c'est triste…

Pendant un instant encore, l'idée de la tristesse de l'hiver, cette ***étendue*** *morte réduite au blanc immobile, ce vaste paysage solitaire où les créatures erraient d'un refuge à l'autre, à la recherche de* ***baies*** *et de branches fraîches, dans l'attente du* ***dégel****, toute cette belle idée de la tristesse de l'hiver apporta à Florence un réconfort qui la fit sourire ; mais elle* ***frémit*** *en entendant à nouveau ces cris qui devenaient plus précis :*

– Elle est là ! Elle doit être là !

Était-ce elle qu'on cherchait ? ***Affolée****, la professionnelle en communication se leva, marcha vers le carreau et distingua des corps qui s'agitaient à la lueur d'une vieille lanterne. Comme ses yeux cherchaient plus attentivement, il lui sembla reconnaître plusieurs villageois : Alain le* ***bûcheron****, Dominique le* ***routier****, Roger le* ***poivrot****…* ***Vêtus comme des paysans d'autrefois, ils brandissaient des fourches*** *et piétinaient dans la neige en approchant de la maison. Florence se retourna vers la fermière qui se lamentait toujours,* ***les doigts autour de la tasse****. Elle demanda :*

– Qu'est ce qu'ils veulent ?

Toute à ses obsessions, la femme répondit :

– Ils veulent en finir avec l'hiver ; ils veulent en finir avec le froid ; ils veulent de vraies routes bien larges et de bonnes voitures, ils veulent l'éclairage public.

– Mais n'ont-ils pas déjà tout cela ?

Dehors les cris ***se faisaient plus agressifs****, et Florence retourna nerveusement à la fenêtre. La troupe était maintenant rassemblée sous*

grand mât large pole/post
serpes billhooks
piques pikes
entraînée led
en costume-cravate in coat and tie
Moins fringant Less dashing
hobereau country squire
son lourd patois his heavy dialect
Pour sûr qu'elle est cachée là-dedans For sure, she's hiding in there
gueuse tramp/beggar
tenir le crachoir hold the spittoon
sa solennité his solemnity
on est des arriérés we're backward (people)
poursuivait continued, went on
exorbités bulging
haineux full of hatred
salope bitch
figés frozen, fossilized
On se laissera pas faire We won't let it happen
Sur un ton plus posé In an unruffled tone

ce réverbère dont Paul paraissait si fier, l'autre jour… Mais que faisait ce réverbère devant la ferme, puisque Florence se trouvait avec les parents de Paul, il y a fort longtemps ? Elle ne savait plus. En tout cas, la lumière au sommet du ***grand mât*** *éclairait parfaitement cette troupe furieuse coiffée de chapeaux, munie de* ***serpes*** *et de* ***piques*** *; et la horde ancestrale était* ***entraînée*** *par deux cadres modernes* ***en costume-cravate*** *: Jean-Bertrand Galuchon de la SNCF et, près de lui, son ami Mathieu, ce séduisant directeur financier aux cheveux noirs, responsable d'une compagnie d'éclairage public, rencontré à la Closerie des Lilas.* ***Moins fringant****, le maire avait abandonné son habituelle veste de golf et retrouvé une blouse primitive ; sa voix assurée de* ***hobereau*** *de campagne semblait avoir régressé de plusieurs générations pour retrouver* ***son lourd patois****. Il servait d'intermédiaire entre les villageois et les deux Parisiens, auxquels il expliqua :*

– ***Pour sûr qu'elle est cachée là-dedans****, la* ***gueuse****. Elle n'aime que ça : rendre visite aux vaches et* ***tenir le crachoir*** *aux miséreux !*

– Et pourquoi tout ça ? Je vais vous le dire !

Roger le poivrot avait pris la parole avec ***sa solennité*** *d'alcoolique. Florence entendait parfaitement et cherchait à comprendre ce qu'on lui reprochait :*

– Elle fait tout ça parce qu'elle nous regarde de haut. Pour elle, ***on est des arriérés****, des sauvages, une distraction pour les vacances. Si elle pouvait nous enfermer comme des bêtes curieuses, avec les vaches et les lapins, elle hésiterait pas !*

– Non, elle hésiterait pas ! répondirent plusieurs voix.

Roger ***poursuivait****, les yeux* ***exorbités****, son discours* ***haineux*** *:*

– Tout ce qu'on essaie de faire pour améliorer les choses, elle s'y attaque, la ***salope*** *! Pas de réverbères, pas de tri sélectif, pas de sens giratoire, pas de produits surgelés : elle veut rien, ici ; mais rien ne lui manque à Paris. Au village, notre vie doit ressembler à ses rêves de fillette,* ***figés*** *pour toujours…* ***On se laissera pas faire.***

– On se laissera pas faire ! reprit le chœur.

Jean-Bertrand prit la parole à son tour comme pour appeler le groupe au calme :

– Messieurs, messieurs !

Florence espéra un instant que le directeur adjoint de la Communication inviterait les paysans à la raison. ***Sur un ton plus posé,***

du même tonneau from the same barrel
découragés discouraged
ennemie jurée sworn enemy
vieux compartiments de 14-18 old (train) compartments from World War I
vous crachez sur you spit on
réagir of reacting
je plaçais beaucoup d'espoir en vous *here:* I put a lot of faith in you
Je suis déçu I am disappointed
faut lui régler son compte we need to fix her
Assez tergiversé Enough dillydallying
clouées au sol pinned to the floor
demander du secours to ask for help
Jamais elle ne s'était sentie Never had she felt
à ce point rejetée so rejected

son discours était pourtant ***du même tonneau*** *:*

– Nous aussi, elle nous a trompés, critiqués, ***découragés****. C'est une* ***ennemie jurée*** *de la SNCF… qui ne supporte pas les réformes de l'entreprise, la diminution des coûts, les nouvelles normes. Tout ce qu'elle aime, ce sont les* ***vieux compartiments de 14-18*** *!*

Il dressa la tête vers la maison et cria :

– Florence, si vous m'entendez, répondez-moi ! Des contrôleurs m'ont parlé ; je sais que vous vous êtes confiée à eux, que ***vous crachez sur*** *notre système de réservation, sur le nettoyage des trains, sur la lenteur de Socrate…*

Tous semblaient attendre une réponse. Incapable de ***réagir****, Florence s'aperçut qu'elle tremblait à nouveau de froid, de fièvre, et que la sueur couvrait tout son corps. Le beau jeune cadre brun s'approcha à son tour et cria :*

– Florence, nous ne nous connaissons pas beaucoup, mais ***je plaçais beaucoup d'espoir en vous****, pour de futurs dossiers ; avant de découvrir votre complicité dans cette agression contre un réverbère.* ***Je suis déçu****, très déçu, il faut absolument que nous parlions.*

La voix d'un villageois l'interrompit :

– Faut pas parler, ***faut lui régler son compte*** *! On sait qu'elle s'est plainte ; on sait qu'elle a essayé d'agir en haut lieu pour sauver la ligne de fret…*

– … et empêcher l'élargissement de la départementale, précisa le maire.

– Ce qui prouve bien qu'elle n'a rien compris à l'esprit d'entreprise, répliqua Jean-Bertrand. Vous avez raison. ***Assez tergiversé*** *!*

Florence sentait qu'il était temps de fuir, mais une peur terrible paralysait ses mouvements, et ses jambes restèrent ***clouées au sol****. Il lui fallut déployer un effort considérable pour se retourner vers l'intérieur de la cuisine et constater que la mère et les enfants avaient disparu. Elle entendait encore les voix des gamins en train de se disputer dans une chambre. Elle aurait voulu* ***demander du secours****, mais elle sentait bien que ces paysans ne s'intéressaient guère à son cas, que cette familiarité de cinquante ans qu'elle avait cru développer au fil des visites ne représentait pas grand-chose pour eux. Paul et les siens seraient toujours du côté des autres.* ***Jamais elle ne s'était sentie à ce point rejetée****. Grégory aurait pu l'aider dans ce malheur ; mais les gens du*

cri épouvantable dreadful cry
retentit rang out
éraillé hoarse
ignoble rot disgusting/vile burp
suraigus very sharp/shrill
mare de sang pool of blood
penchés sur bent over
truie rose pink sow
qui se débattait who was struggling
long couteau souillé long, dirty knife
donna encore un coup sur le crâne delivered another blow to the skull
faisant jaillir un peu de cervelle making a little of its brains spurt out
n'ignorait pas knew
De plus en plus indisposée More and more sickened
éprouva le besoin felt the need
saupoudré sprinkled
pelage de sapins *here:* cloak of fir trees
damier délicat delicate patchwork
Paul Klee Swiss artist, consided one of the masters of modern painting. *New York Times* critic John Canaday called his whimsical work, "the summation of both the intellectual and emotional redirections of painting most peculiar to the twentieth century—pure theoretical abstraction on one hand, and free invention from inner experience on the other."

village ne l'aimaient pas, lui non plus. D'ailleurs il était loin ; il dormait près du feu, à la maison.

Cette image l'apaisa. Au moins, Greg dormait près du feu, en sécurité. C'est alors qu'un ***cri épouvantable retentit*** *dans toute la ferme ; un cri* ***éraillé*** *commençant dans le grave comme un* ***ignoble rot****, pour s'achever dans des sifflements* ***suraigus*** *; un cri de douleur qui se prolongea, s'intensifia encore et ranima Florence, incapable de supporter cette plainte. Oubliant le poids de ses jambes, elle regagna l'appentis et découvrit alors dans une* ***mare de sang****, près de la fontaine, le fermier et deux jeunes gens* ***penchés sur*** *la* ***truie rose qui se débattait****. Comme l'un des deux garçons se relevait avec un* ***long couteau souillé****, Florence fut presque certaine de reconnaître Paul – Paul tout jeune, âgé de dix-sept ou dix-huit ans. Il lui adressa le sourire un peu las qu'elle lui connaissait dans son grand âge. L'autre garçon, son cousin Marcel, tenait un marteau et* ***donna encore un coup sur le crâne*** *de la bête,* ***faisant jaillir un peu de cervelle****, tandis que le corps retombait en tremblant dans les derniers spasmes.*

Florence ***n'ignorait pas*** *que cela faisait partie de la vie campagnarde : cette brutalité, ce jeu des couteaux, du sang et de la mort… Elle connaissait tous les progrès qui permettent de tuer les bêtes sans douleur ; elle aurait voulu en parler, mais les pistolets modernes n'avaient pas leur place dans un rêve où l'on frappe les bêtes avec des marteaux. La truie tremblait toujours ; son sang se mêlait par terre à l'eau de la source.* ***De plus en plus indisposée****, Florence* ***éprouva le besoin*** *de sortir et poussa la porte vers l'extérieur. Le vent la referma derrière elle en claquant.*

Dans la nuit

Florence entendait le tumulte de la foule rassemblée de l'autre côté de la ferme, mais sa peur disparut instantanément en découvrant le ciel ***saupoudré*** *d'étoiles qui s'étendait sur tout le massif. Dans l'air transparent de la nuit, chaque montagne arrondie avec son* ***pelage de sapins****, chaque pré couvert de neige apparaissait comme un signal, une lettre d'alphabet tracée sur la terre, répondant à une infinité d'autres. Elle contempla ce* ***damier délicat****, cette variation d'un seul motif qui lui rappela les tableaux de* ***Paul Klee****. Le paysage écrivait des mots et des phrases, dans une langue inconnue.*

grelottait shivered
sueur coulait sur sa poitrine sweat rolled down her chest
cette sensation déliée du temps this nimble sensation of time
ce grelot de la rivière this little sleigh bell of a river
enfermé closed up, shut away
bruyères heathers
portique solennel solemn portico
gouffres chasms
Encore quelques pas A few more steps
démarche gait
pénible painful, difficult
elle soufflait she huffed and puffed
enjoués playful
rameaux des sommets boughs/branches at the tops of the trees
écorce bark
abrité sheltered
frottement rubbing, scraping
inadapté maladjusted
cet ourson des villes *in effect:* this city bear
de retour back in
s'achevait sur ended on

Florence, qui connaissait tous les chemins perdus, se remit en marche le long du ruisseau. Elle ***grelottait*** *de fièvre et la* ***sueur coulait sur sa poitrine*** *; elle sentait ses forces l'abandonner, tandis que chaque pas l'enfonçait lourdement dans la neige. Mais il suffisait qu'elle redresse les yeux vers le ciel, qu'elle écoute le clapotis de l'eau pour retrouver ce sourire heureux, cette impression de joie,* ***cette sensation déliée du temps****. Le temps était ce dessin de constellations et de sapins enneigés ; le temps était* ***ce grelot de la rivière****, ce bruissement du vent dans les branches ; le temps n'était plus* ***enfermé*** *dans la frénésie, l'angoisse ou la nécessité ; c'était un temps de sons, de lumières, de mouvements lents et d'odeurs qui racontaient à Florence l'histoire du monde, où se perdaient les souvenirs de sa propre histoire.*

Maintenant, la forêt se dressait là, devant elle. Rompant avec la prairie de ***bruyères*** *et de lichens ensevelis sous les vagues blanches, quelques épicéas encore jeunes annonçaient l'arrivée sous les grands bois. Puis des troncs de sapins plus hauts s'alignaient comme un* ***portique solennel****, ouvrant sur un autre monde où l'on pénétrait en laissant derrière soi tout ce qui avait précédé. Pendant plusieurs siècles, les paysans avaient entretenu cette limite précise entre le pré fleuri et la montagne sauvage des torrents et des* ***gouffres. Encore quelques pas****, et Florence allait plonger dans l'obscurité.*

Sa ***démarche*** *paraissait de plus en plus* ***pénible****. Elle avait mal,* ***elle soufflait*** *; mais elle était pressée, maintenant, de franchir le seuil. Plus difficiles, ses derniers pas furent aussi les plus* ***enjoués****. C'est ainsi que Florence entra au royaume des ombres. Soudain, la vive clarté nocturne disparut sous les arbres, entre les troncs dénudés des centenaires qui se perdaient dans les* ***rameaux des sommets****. Florence se rappela que cette forêt, vue de l'extérieur, ressemblait à un épais tapis végétal, tandis qu'à l'intérieur, dans cet espace d'****écorce abrité*** *de la lumière, tout n'était que murmure,* ***frottement****, craquement, marche vers les profondeurs. Elle se rappela Michka, le petit ours en peluche qui entrait dans la même forêt à la recherche de l'inconnu. À cet instant, elle eut l'impression de ressembler à cet ourson transi,* ***inadapté, cet ourson des villes de retour*** *dans son monde oublié. L'histoire* ***s'achevait sur*** *un silence, sur quelque chose qui commençait là, dans l'obscurité, quelque chose d'impossible à expliquer, sauf à marcher encore, droit devant, vers ce mystère.*

LIN·GUAL·I·TY

presents

BENOÎT DUTEURTRE

author of

Chemins de fer

in a live interview conducted by
Gerald Honigsblum, PhD
February 23, 2007

Studios Coppelia, Paris

Transcribed and annotated by
Gerald Honigsblum

d'accueillir to welcome
lecteurs readers
je me permets I take the liberty
carrément outright
de droit legal
réseau ferré rail network
à juste titre deservedly
vous y apportez you bring to it
croquis sketch
rame déclassée downgraded train

* *The numbers in the left-hand margin on the opposite pages denote corresponding track numbers on the interview CD.*

Mesdames, Messieurs, bonjour de Paris, Gerald Honigsblum au micro. J'ai le grand plaisir **d'accueillir** Benoît Duteurtre.

1

– Benoît Duteurtre, merci d'avoir rejoint les ***lecteurs*** *anglophones de votre roman,* Chemins de fer. *Votre livre est publié, d'abord, chez Fayard, et votre livre figure en premier dans notre projet, et nous en sommes très contents. D'abord, le titre est au pluriel (je suis prof de français, voyez-vous).* Chemins de fer, *chemins avec un S. Est-ce innocent ou est-ce significatif ?*

– Oh, c'est la Compagnie nationale des chemins de fer. Vous savez, à l'origine...bon d'abord pour répondre à ce que vous venez de dire, **je me permets** de préciser, je suis très très honoré d'être le premier de la liste, je ne savais pas, ça me fait un grand plaisir. Et donc, oui, le titre d'origine en fait du livre, c'était **carrément** *La SNCF.* C'est-à-dire la Société Nationale des Chemins de Fer, qui est la plus grande, la grande compagnie d'état des chemins de fer en France. Et puis, bon, pour des raisons **de droit**, des raisons juridiques, j'ai renoncé à ce titre, j'ai choisi les *Chemins de fer.* Mais c'est effectivement, oui, c'est les chemins que prennent les trains, et on pourrait dire c'est aussi ces chemins un peu durs de la vie, que suit l'héroïne du livre.....durs, [aussi durs que le fer]. Oui c'est ça, oui, c'est l'ambiguïté du titre. Mais enfin, c'est quand même un livre où il est réellement beaucoup question des chemins de fer [effectivement] et du **réseau ferré** français, qui doit pas être très différent de celui de beaucoup de pays industrialisés.

2

–Voilà, mais quand même qui a une réputation mondiale, et ***à juste titre*** *d'ailleurs, on peut dire que c'est le meilleur malgré les critiques que* ***vous y apportez****. Cette couverture et son* ***croquis*** *humoristique de Sempé : le village en haut, le dernier wagon de la* ***rame déclassée,*** *n'est-ce pas ? Bientôt le TGV EST, Benoît Duteurtre, est-ce que tout va changer ?*

les Vosges the mountainous region in eastern France known for its pastoral settings and superb linens
conteste question, have a problem with
soutenir support
entretenir keep up
qui n'encombre pas that doesn't jam
au lieu de instead of
laisser tomber drop, discontinue
réseau secondaire secondary network
garder to keep
ressent feels
déferler tumble
pente enneigée snow-covered slope

– Ecoutez, c'est vrai que on peut pas se déclarer comme ça sans arrêt comme une espèce d'ennemi de toutes formes de progrès ou de changement, même si c'est évident que, moi, j'ai un tempérament un peu nostalgique, je suis attaché aux choses du passé. Je pense qu'on le sent dans ce livre avec mon héroïne. Mais bien sûr, je suis pas du tout, au contraire, contre les progrès du TGV, je vais souvent moi-même dans **les Vosges**, dans ce petit village où se passe ce roman, et c'est un voyage qui est un peu long, un peu compliqué, et quand je vais pouvoir dans quelques mois me rendre au même endroit avec seulement une heure ou deux de train, ça va être pour moi très agréable. Mais ce que je **conteste**, par contre, c'est l'abandon de tout le réseau secondaire, si vous voulez, parce que, j'ai envie de dire que, on est bizarrement dans une époque où, de plus en plus, les problèmes d'environnement nous font savoir que le chemin de fer est un très bon moyen de transport qu'on devrait **soutenir**, et qu'on devrait au moins **entretenir** pour ce qui existe déjà. Ca pollue moins que la voiture ; c'est un moyen de transport pratique **qui n'encombre pas** les routes, et **au lieu de** ça, on est en train de **laisser tomber** tout le **réseau secondaire** pour simplement **garder** le gros réseau commercial, celui des trains rapides, et ça, je trouve ça pas très responsable de la part ni de l'État français ni de la Société des Chemins de Fer, ni de la plupart des états européens.

3

– Bien entendu, on ***ressent*** *ça dans votre texte, et puis je regarde encore cette couverture, et on voit Florence et son petit bonnet rouge* ***déferler*** *sur cette* ***pente enneigée****. Florence, c'est vous n'est-ce pas ?*

– Oh, pas tout à fait, mais enfin oui, bien sûr, j'ai prêté beaucoup de moi-même à cette héroïne, mais vous voyez, je disais la nostalgie, c'est vrai, bon, à côté de la raison, l'environnement, etc., c'est vrai que les chemins de fer sont de bons moyens de transport qu'il faut soutenir, c'est vrai qu'il y a aussi tout simplement la nostalgie de l'enfance qui est très présente dans ce livre, c'est vrai qu'on a tous connu un monde dans lequel les chemins de fer étaient très importants, qui était le monde encore de l'après-guerre, des années 50, 60, de toutes ces petites lignes,

climatisations cooling systems
décalage discrepancy
a priori for starters
éloigné removed
le faire vivre to make him come alive
célibataire single
on s'est bien retrouvé we got together
métier profession
lycéen high-school student
poussé *here:* pursued (it further)
romancier novelist
émission broadcast
France Musique station at 91.7 on the FM dial in Paris where Benoît Duteurtre hosts a talk show every Saturday at 11 A.M., *Étonne-moi Benoît* (Surprise Me, Benoît), on light music, a somewhat forgotten repertoire that nevertheless has many fans.

cette ambiance de l'intérieur des trains, je crois que ça existait dans tous les pays. Et c'est quelque chose qui disparaît. Et quand ça disparaît, on a l'impression que c'est aussi notre enfance qui s'en va avec, donc c'est évidemment le sujet du livre, et c'est pour ça que mon héroïne de temps en temps évoque le temps des compartiments, les photos dans les trains, les **climatisations** qui marchaient jamais, et toutes ces choses dont on se souvient. Mais, bien sûr, y a un jeu avec ce personnage, volontairement j'ai pris un personnage féminin, alors que je suis un homme. Bon, c'est déjà une forme de **décalage**. Je crois qu'on peut projeter toujours beaucoup de soi-même dans un personnage, mais que c'est plus intéressant de choisir un personnage qui est, quand même, un peu **a priori éloigné** de soi, [tout a fait] pour **le faire vivre**, c'est ça le jeu du roman, et ça m'amusait de voir que je pouvais me projeter comme ça dans cette femme **célibataire**, solitaire, qui travaille dans la communication, alors que moi j'ai une vie assez différente d'elle, bon, ben voilà, **on s'est bien retrouvé** tous les deux.

4

– Oui, ça se ressent, voilà, écrire n'est pas votre premier ***métier****, ni le seul métier, si j'ai bien compris. Comment résumer votre carrière aux lecteurs américains, que vous allez bientôt rencontrer, si j'ai bien compris ?*

– Oh, écrire est pour moi le premier métier par l'importance, ça n'est pas le seul que j'ai pratiqué, ni que je pratique toujours, parce que je suis un passionné de musique, et quand j'étais **lycéen**, j'étais décidé de faire des études de musique, j'ai donc **poussé** un petit peu plus loin, à l'université, au conservatoire, l'étude du piano, la composition, de l'histoire de la musique, ça m'intéressait beaucoup, mais en même temps je n'ai jamais douté du fait que, pour moi, ma vie c'était d'abord l'écriture, et donc aujourd'hui j'ai envie de dire je suis **romancier** pour l'essentiel, mais j'ai quand même une grande activité autour de la musique. Je fais une **émission** à Radio France, à **France Musique**, encore le service public, comme le chemin de fer, moi, je suis attaché aux entreprises d'état, je suis très rétrograde, pour ça, et puis j'écris aussi dans un certain nombre de journaux sur la musique, comme dans le

René Coty president of France from 1954 to 1958, when he called on Charles de Gaulle to form a new government and ultimately draft the new constitution for the Fifth Republic
arrière-grand-père great-grandfather
passée au crible to sift through, examine
qu'y a = *qu'il y a*
Gauche (political) Left
d'échapper à to avoid
social-démocratie economic doctrine espoused largely by the Left, in favor of more state intervention in the economy and generous benefits for workers

magazine *Marianne,* dans le magazine *Le Monde de la Musique,* et j'ai donc un peu une activité autour de la musique qui est très importante pour moi, et notamment autour de l'opérette, un genre un peu disparu....aussi.

5 – *Oui, bien, justement, j'allais d'abord vous poser une petite question sur votre enfance, vous qui êtes arrière-petit-fils du président* ***René Coty****, n'est-ce pas,[c'est vrai] Président de la République dans les années 50...*

– Ce qui fait que j'ai quelques lettres du président Eisenhower à mon **arrière-grand-père**.

– *Dites donc, il faudra revoir tout ça. Comment vivez-vous la campagne présidentielle actuelle et les questions de société qu'elle occasionne ? Après tout, la société française est* ***passée au crible*** *dans votre livre.*

– C'est très compliqué, moi, ce qui m'intéresse, si vous voulez, justement, c'est ça toute la différence, je suis pas un politicien, je suis un romancier, et moi ce qui m'intéresse, ce sont plutôt les contradictions que les certitudes. Par exemple, si on parle de la société française aujourd'hui, c'est évident **qu'y a** tout un discours autour d'une certaine **Gauche** pour la défense des droits des travailleurs, du service public, etc., qui est un discours qui d'une certaine façon me séduit, et en même temps, je sais très bien que ce discours, il correspond pas vraiment à la réalité de l'époque, à l'évolution, combien même on voudrait, est-ce qu'on a les moyens en Europe aujourd'hui **d'échapper à** l'évolution générale du système économique mondial, j'en suis pas certain. Donc je suis pris moi-même dans cette contradiction, entre, c'est vrai, l'aspiration à une société de démocratie responsable, où l'Etat exercerait un rôle régulateur, c'était la **social-démocratie**, c'était le monde de notre enfance, en tous cas, de la mienne, c'était un monde assez protégé, qui est en train de complètement disparaître, et c'est ce que ressent mon héroïne dans le livre. Et, en même temps, l'héroïne de mon livre, elle passe son temps à vouloir essayer

publicitaires advertising
volet *here:* part, section
à votre sens as you see it
en buvant des verres while having some drinks
Jacques Offenbach celebrated German-born French composer who wrote over 90 operettas. His *Orphée aux enfers* features the boisterous *Can-Can.*
j'ai envie de dire I feel like saying

de gagner de l'argent, en vendant ses services **publicitaires** à des entreprises modernes, en espérant gagner des stock-options, et finalement en bénéficiant d'un système qu'elle n'aime pas. Et je crois qu'on est quand même toujours un peu dans la contradiction dans la vie, alors évidemment les discours politiques, c'est une chose, mais comment naviguer au milieu de tout ça, c'est plutôt ça au fond la question et celle des personnages de mes livres.

6

– *Oui, merci, justement je suis fasciné par l'intérêt que vous réservez à l'opérette. Pouvez-vous nous en dire un mot ? Et en deuxième* ***volet****, le public américain, vous savez, est toujours très attaché, à la comédie musicale de Broadway.*[je sais bien, je sais bien] *Y a-t-il,* ***à votre sens****, un équivalent en France ?*

– Vous savez, il m'est arrivé, parce que je suis un habitué, un amoureux de New York, il m'est arrivé d'entrer dans des bars de Greenwich Village, où il y avait là tout un groupe de gens en train de chanter, autour d'un piano, des grands classiques de la comédie musicale américaine, comme ça, **en buvant des verres** pendant des heures, et ça, malheureusement, on peut pas l'imaginer en France, aujourd'hui avec l'opérette, mais ça a été le cas en France dans un passé un peu plus lointain. Il y avait ici une tradition très très importante de musique légère, de spectacle musical joyeux, avec de la chanson, de la danse, qui est vraiment, on peut dire, l'ancêtre de la comédie musicale et de toutes les formes d'opérette, puisque c'est un genre qui est né en France, et avec **Offenbach**, bien sûr, qui est resté un peu au répertoire, mais beaucoup de musiciens complètement oubliés, qui ont eu même du succès à New York à la fin du 19e siècle, à Londres, dans le monde entier, et moi je me suis intéressé un peu à réhabiliter ce genre qui est très riche. Et, oui, d'ailleurs, pour les lecteurs américains, **j'ai envie de dire**, ce que je trouve merveilleux…les Français sont un peu négligents pour leur propre passé, et alors, par contre, dans n'importe quel domaine, que ce soit français, ou dans n'importe quel sujet culturel, on trouve toujours aux Etats-Unis un spécialiste et un passionné qui a des collections fabuleuses. J'ai, par exemple, fait connaissance de quelqu'un à New York qui a la plus grosse collection d'archives

affiches posters
partitions scores
laisse supposer would have you believe
actuel at the present time, current
mélomane music lover
spécificité idiosyncracy

sur l'opérette française qu'on puisse imaginer dans le monde entier. Il collectionne toutes les **affiches**, toutes les **partitions**, il connaît par cœur tous les noms des compositeurs, les dates des créations. C'est un monde comme ça, un peu, de spécialistes, d'obsédés, des passionnés, qu'on a un petit peu ici aussi, mais en tous cas, ça fait plaisir de retrouver des traces de tout ça un peu partout dans le monde, et moi j'essaie vraiment de faire revivre ce genre musical.

7

– La francophilie, c'est vraiment un phénomène américain, il faut le dire. [voilà !]. J'ai entendu dire que les seuls francophobes en Amérique sont des Français expatriés.

– Ah, bon, d'accord ! En tous cas, c'est vrai, au fond, moi, je me sens assez français, et ça me fait toujours plaisir de rencontrer les francophiles du monde entier. J'ai une grande sympathie pour les Anglais francophiles, parce qu'il y en a aussi, les Allemands francophiles, pour les Américains francophiles, bien sûr, qui sont nombreux, contrairement à ce que **laisse supposer** le climat politique **actuel**.

*–Et votre côté **mélomane**, est-ce qu'il se manifeste dans vos romans?*

– Eh, bien curieusement, pas tellement. La musique n'est pas très présente dans mes livres, parce que.... moi, je crois pas beaucoup aux correspondances entre les différents arts, entre les différents genres, enfin, oui, y a des coïncidences, y a des correspondances, mais je crois que c'est à près impossible d'écrire sur la musique, ou de parler de la musique. La musique, on peut l'écouter, on peut expliquer certaines choses, mais on peut pas retrouver l'émotion de la musique par un autre moyen que la musique. Je crois un peu à la **spécificité** de chaque discipline, et donc pour cette raison-là, je pense la musique n'est pas tellement présente dans mes livres, mais j'écoute souvent la musique en écrivant, encore plus avant qu'aujourd'hui. J'écoutais toujours de la musique en écrivant. J'avais même eu certaine musique qui m'accompagnait pour un livre donné, vous voyez, par exemple, *Chemins de fer.* Je peux vous dire, j'ai écrit ce livre notamment en

Olivier Messiaen While working on the book, Benoît Duteurtre listened to the music of this celebrated composer, organist, and bird specialist (1908–1992). Messiaen was commissioned to write a piece for the bicentennial of the United States Declaration of Independence, in 1974. The result was *Des Canyons aux étoiles*, inspired by Bryce Canyon in Utah, a piece that depicted the birdsongs of the rocky formations.

en prise in touch

part starts off

est censé is supposed to

biais *here:* angle, point of view

tient la plume *in effect:* writing; *literally:* holding the pen

onirique dreamlike

reprend le dessus takes the upper hand again

constate we note, we see

entretien maintenance

écoutant des musiques d'**Olivier Messiaen**, qui est un grand compositeur français contemporain, des musiques qu'il a composées, enfin qui ont été créées aux Etats-Unis, qui s'appellent *Des canyons aux étoiles,* et qui sont des musiques très **en prise** avec la nature, [côté éphémère], voilà, le mystère de la nature, le ciel, la montagne, etc. et ce sont des réflexions qui reviennent souvent chez ma narratrice. Et j'avais souvent ce disque qui tournait, comme ça, quand j'écrivais certaines scènes du livre.

8

– Ah bon, si vous le permettez, pénétrons dans le texte, les premières pages de Chemins de fer *sont en italiques, les dernières pages aussi d'ailleurs, pourquoi ce choix typographique ?*

– Ça fait plaisir de voir quelqu'un qui s'intéresse aux questions de forme, parce que la critique française, souvent comme ça, **part** directement sur le sujet du livre, sur ce que le livre **est censé** nous dire, mais ne s'intéresse pas tellement à la façon dont c'est fait, et les italiques évidemment du début et de la fin du livre sont une espèce d'entrée dans le roman, avec simplement le regard de l'écrivain et d'un narrateur extérieur qui nous décrit cette femme qui est en train de prendre le train, et donc c'est une scène qui est vue de l'extérieur, et tout de suite après, on entre dans le roman par le **biais** du journal de cette femme, là c'est elle qui **tient la plume**, on peut dire, jusqu'au bout du livre. Et à la fin du livre, y a une espèce de petit mystère, parce que l'héroïne part dans un rêve, un peu étrange, c'est **onirique**, et là c'est la plume du narrateur qui **reprend le dessus** pour conclure le livre à l'autre extrémité de ce journal personnel, si vous voulez.

– D'accord, merci, oui, on ***constate*** *tout de suite que la protagoniste est absorbée, comme vous dites, n'est-ce pas, à la page 7, je cite : « lunettes sur le nez, elle semble absorbée par la lecture d'un roman, quand approche le contrôleur», et puis quand on tourne la page, à la page 8, ou plutôt à la page 10, à la fin de ce chapitre : « La communication ? Et cela remplace l'****entretien*** *? Non, évidemment, mais je vous assure, Madame, il faut écrire, il faut écrire » !*

j'ai cru ressentir *in effect:* I believed you were trying to get across
qu'ils s'en font that they dreamed up
quand même nonetheless
une espèce d' a sort of
banlieusés suburbanized
muséifiées turned into museums
étendant leur toile morbide casting their morbid web
frappé struck

– Le train est en très mauvais état, et le contrôleur passe, et donc elle se plaint au contrôleur, et le contrôleur lui dit : il faut écrire, il faut écrire, du genre écrivez un lettre à la direction de la communication, mais en fait elle va écrire son journal autour de ses voyages en train, et c'est comme ça que commence le roman.

9 *– Voilà, c'est ce que* ***j'ai cru ressentir****. Vos lecteurs américains sont toujours nombreux à voyager en France. L'idée* ***qu'ils s'en font*** *est bien celle de Florence, après tout. Vous ne pensez pas ?*

– Oui, oui, sans doute, oui, je crois que les trains français sont **quand même** pas mal, d'ailleurs ; je peux vous dire que j'ai pris un peu les trains américains. On est quand même pour l'insant dans ce domaine encore assez protégé, on a des beaux, bons trains qui marchent bien, qui roulent vite, qui sont souvent très confortables, mais je sais pas ce qu'en pensent les touristes américains ou d'autres pays quand ils viennent en France, mais y a quand même, à cause du financement justement des nouvelles lignes rapides, **une espèce d**'abandon, je disais tout à l'heure, des lignes secondaires et aussi des trains eux-mêmes, et on voit de plus en plus de petits trains qui sont vraiment dans un état déplorable, et ça je trouve ça triste, quoi.

10 *– Bien sûr, mais on oublie presque que Florence s'exprime en discours direct, je suis à la page 161, chers lecteurs, et un discours direct, c'est bien votre voix, j'ai l'impression, qui filtre, que filtre le narrateur au retour de Chine. Je passe sur ce passage rapidement : « À mon retour en France, j'ai même eu l'impression, pour la première fois, d'habiter un pays extraordinairement préservé. Malgré un siècle de guerres et d'urbanisme sauvage, l'ancienne Europe a sauvé quelques apparences. Les transformations y paraissent plus lentes et mieux contrôlées. Moi qui n'y voyais que signes de dégradation (villages* ***banlieusés****, villes* ***muséifiées****, routes et parkings* ***étendant leur toile morbide****), j'étais* ***frappé*** *à mon retour de Pékin par cette belle harmonie qui subsiste dans les paysages de campagne et dans certains quartiers urbains. » dites-vous.*

qu'y a = *qu'il y a*, which is often elided in conversation
ajouts additions
aménagements developments
éclairage lighting
qu'on pouvait se faire that one could conjure up
déprimants depressing
voies lanes
clinquants pastiches flashy pastiches
pousse grows
âme soul
plaque sticks

– Oui, c'est vrai, c'est une chose qui m'a toujours frappé, c'est-à-dire évidemment, quand on est en France, on voit tout ce qui va pas, etc. et puis quand on part pour voyager un peu loin, et qu'on rentre, c'est vrai **qu'y a** quand même une beauté du paysage, une beauté des villes aussi qui est assez extraordinaire, mais qui se dégrade aujourd'hui de façon insidieuse, par petits détails, par petits **ajouts** successifs, par **aménagements** urbains, par banlieuisation progressive de la campagne, on élargit les routes, on ajoute des parkings, on refait les maisons, on ajoute de l'**éclairage** dans les villages où il n'y en avait pas, et peu à peu, c'est ça qui est terrible, et c'est un des sujets de ce livre, non pas d'une façon brutale comme dans l'urbanisme des années 50-60, mais d'une façon très...très pernicieuse, comme ça on transforme complètement le paysage et l'idée même **qu'on pouvait se faire** de la campagne.

11 *– Vous avez fait une allusion comparative tout à l'heure, que pensent les Américains quand ils viennent voyager en train, en France, mais vous dites justement un petit peu plus haut, vous parlez de « détruire les vestiges de Pékin, pour édifier des tours hideuses et gigantesques, des centres commerciaux **déprimants**, des autoroutes à douze **voies, clinquants pastiches,** » dites-vous, « clinquants pastiches d'une Amérique imaginaire, qui pousse partout, n'importe comment afin de générer des profits, en effaçant tout souvenir du monde précédent. » A votre sens, ça **pousse** partout, et quand même y a des gens qui cultivent ces jardins atroces.*

– Oui, bien sûr, mais ce qui est important, c'est cette idée d'Amérique imaginaire, c'est-à-dire que...bon c'est évident que les Etats-Unis sont devenus aujourd'hui le modèle du monde, pour le meilleur et pour le pire, avec leur système, avec leurs valeurs, avec leur culture, etc. Mais on a souvent l'impression un peu triste, quand on voyage – et j'ai eu cette impression très forte à Pékin effectivement, où je suis allé, comme mon héroïne. On a l'impression que tout ce qu'y de vivant et de fascinant, et de beau, par exemple à Manhattan, est simplement recopié, mais sans **âme**, d'une façon complètement artificielle, tout simplement parce qu'on veut faire grand, on veut faire des tours, on veut que ça ressemble à l'Amérique, mais ça n'a pas de sens ; on **plaque** ça sur

rase wipes clean
frénésie frenzy
aveugle blind
à quoi ça sert what it's supposed to do
réverbère streetlight
poubelle garbage can
rond-point traffic circle/roundabout
perte de repères loss of points of reference
du ressort romanesque in the realm of fiction
soumise subjected (to)
aménagements adjustments
espace de poubelles sélectif garbage recycling area

un vieux pays qui a pourtant une histoire, et on **rase** purement et simplement tout ce qui reste de cette histoire, comme on l'a fait dans les quartiers des grandes villes chinoises d'une façon incroyablement brutale, et voilà, c'est ça ce que j'appelle cette espèce d'Amérique imaginaire qui pousse partout et n'importe comment, et qui n'a pas même le sens et la vie qu'on peut trouver dans les villes américaines.

– Triste témoignage, bien sûr, de ce qui arrive...

– A beaucoup de pays du monde, notamment aujourd'hui en Asie, évidemment, avec cette **frénésie** de l'économie dont on a l'impression qu'elle avance pour elle-même, d'une façon **aveugle**, quitte à...en détruisant tout sur son passage, mais on ne sait même plus très bien **à quoi ça sert.**

12

– Comment avez-vous choisi ces trois exemples de modernité, c'est assez drôle d'ailleurs : le ***réverbère,*** *la* ***poubelle,*** *et le* ***rond-point****.*

– Bon, vous savez, bon, comme on l'aura compris, ce livre n'est pas spécialement un livre sur le train, mais un livre sur la transformation du monde, sur la **perte de repères**, sur le passage d'une ancienne société, comme je dis, la social-démocratie, un autre type de société, c'est tout ça que vit mon héroïne, et j'avais besoin que cette héroïne, mais ça c'est presque plus, j'ai envie de dire, **du ressort romanesque**, et un petit peu burlesque, qu'elle soit **soumise** à une série de catastrophes pour être obligée de réagir face à ce qui lui arrive. A chaque fois qu'elle revient par le train dans son village, il y a une nouvelle chose qui s'est ajoutée aux précédentes, et c'est pour ça que j'ai eu cette série de petits **aménagements** dont je parlais tout à l'heure qui défigurent peu à peu un paysage. La première fois qu'elle arrive, c'est juste un réverbère, mais qui est en plein devant sa maison dans l'axe de sa vue qu'elle aimait tellement bien regarder le soir les étoiles dans le ciel. Et puis, elle rentre à Paris, et puis elle revient, et puis la deuxième fois, ah tiens, c'est un **espace de poubelles sélectif**, qui est planté juste au pied du réverbère, juste devant sa maison, et avec ce que ça peut avoir de

plus il arrive de malheurs aux personnages the more the characters suffer misfortunes
effrayant dreadful
commune small town
subventionné subsidized
laides ugly
frontalière border
Lorraine eastern province of France, with Alsace, alternately French and German over the centuries. It has always been a mining region and therefore home to working men. The legendary Joan of Arc, born in the town of Domrémy, was from the Lorraine.
Côte d'Azur French Riviera

hideux, évidemment même si c'est pour une cause écologique, officiellement, qu'on construit ces espaces de propreté, mais en même temps c'est aussi pour permettre aux mairies de faire des économies, enfin y a toute une réalité économique qui est cachée sous l'argument écologique, qui est un peu différent. Et donc, dans la dernière partie du livre, on lui annonce qu'un rond point va finalement s'ajouter à ces deux installations devant sa maison, mais ça pourrait continuer comme ça, c'est un jeu un petit peu de.....vous savez j'adore le...parce que dans mes livres, y a en même temps toujours un côté assez ironique, assez comique même, j'espère, même quand je parle de choses graves, et j'aime bien un peu le comique de catastrophe, ce qui est le principe même du burlesque, c'est pourquoi j'adore les films de Laurel et Hardy, par exemple, c'est-à-dire, **plus il arrive de malheurs aux personnages**, plus ça fait rire, et plus c'est à la fois **effrayant** et drôle, quoi, et donc il faut toujours qu'une catastrophe s'ajoute à la précédente, et c'est un peu construit comme ça.

13 *– Et c'est vrai que, aujourd'hui, si un maire de* ***commune*** *ne fait pas construire une demi-douzaine de ronds-points, il va pas être réélu, c'est clair.*

– Mais les ronds-points, en plus, c'est vrai que c'est devenu une folie en France, je sais pas si c'est partout pareil dans tous les pays, mais effectivement comme vous dites, tous les maires veulent avoir leur rond-point, et c'est **subventionné**, par, je crois, par la Communauté Européenne, et puis alors, surtout après, pour justifier les ronds-points, on plante des pseudo œuvres d'art au milieu des ronds-points, qui sont encore plus **laides** que si'l y avait rien du tout. Mais, il y aura un livre à écrire sur les œuvres d'art des ronds-points de la campagne française. [Sans doute...]

14 *– Vous nous situez, dans ce qu'on appelle en jargon européen, justement, dans une région* ***frontalière****, n'est-ce pas. Vous faites un tableau éloquent de la* ***Lorraine*** *et des Vosges. Vous nous invitez à visiter, plutôt que d'aller converger sur les plages de la* ***Côte d'Azur****, ou sur les stations de ski d'Avoriaz ?*

gare de l'Est Paris train station that serves eastern France
en raccourci briefly
en autarcie in splendid isolation
avec tout ce qu'il entraîne comme enlaidissement de la campagne all the ways in which it turns the countryside ugly
en friche fallow
fauchées cut down
exploitée grown
bergère shepherdess
revers de la médaille flip side of the coin

– Oui, encore que, dans ce livre, je ne parle jamais des Vosges, mais c'est là que ça se passe, effectivement. On sait que c'est un train qui part de la **gare de l'Est**, avec un autre train qu'on prend à Nancy. Mais, effectivement, il s'agit d'une petite vallée perdue des Hautes Vosges, et c'est un endroit, en fait, où j'ai passé toutes mes vacances depuis mon enfance. Et j'aime beaucoup cette montagne, dont j'ai déjà parlé dans un de mes premiers romans, qui s'appelait *A propos des vaches,* où je parlais, justement, de l'histoire d'un enfant qui passe ses vacances à la montagne, parce que moi, je suis né au début des années 60, et quand j'ai commencé à aller, depuis ma naissance, en vacances dans les Vosges, c'était vraiment encore le monde du 19e siècle, c'est ça qui était incroyable. Pour quelqu'un de ma génération, j'ai pu vivre vraiment, **en raccourci**, le passage d'un monde à un autre. C'est-à-dire que cette campagne avait encore des fermes isolées, entourées d'immenses prairies, très bien entretenues. Y avait dans chaque ferme un famille, y avait des vaches, une vie agricole quasiment **en autarcie**, telle qu'elle existait depuis plusieurs siècles là-bas. Et, aujourd'hui, donc, quoi, quarante, quarante cinq ans après, ce monde-là a simplement complètement disparu. J'ai vu ce changement progressif, et **avec tout ce qu'il entraîne comme enlaidissement de la campagne**, parce que des prairies **en friche**, c'est pas pareil que des prairies **fauchées**. Parce que une forêt **exploitée** avec des tracteurs et des grosses machines, c'est pas pareil qu'une forêt exploitée avec des chevaux, etc. et tout ça a changé beaucoup beaucoup beaucoup, et, en même temps ça reste une région d'une beauté merveilleuse, parce que c'est la montagne, parce que y de l'eau partout, des rivières, des sapins, des couleurs, en fait un endroit magique et enchanté qui reste heureusement, grâce aux forces de la nature, mais en même temps, il y a tout ce monde agricole, disons, de la vieille campagne européenne qui a complètement disparu. Ça, c'est aussi une des nostalgies de mon héroïne.

15 *– Votre héroïne s'identifie à beaucoup de choses. Elle s'identifie plusieurs fois à Marie-Antoinette,* [ah, oui, avec ironie], *bien sûr, à la petite paysanne, à la petite* ***bergère****. Faut-il deviner* ***le revers de la***

pressentie earmarked
redoutable formidable
saisir grasp
à l'envers upside down
romanesque fictional
sans mallette ni dossiers without a briefcase or files
ennuyeux annoying
commerciaux salesmen
communicants déchaînés excited marketing and PR people
polytechniciens graduates of the École polytechnique, a prestigious institute of science and technology
énarques graduates of the École nationale d'administration, training ground of high-level civil servants and political leaders
au courant de tout (who) know everything
pétri steeped in

médaille*, Marie-Antoinette, noble, princesse, étrangère, insensible à la condition du peuple, et* ***pressentie*** *pour la guillotine, je ne sais pas ?*

– C'est-à-dire, ce qui était très important pour moi dans ce livre-là, en fait, l'héroïne, au fond, elle a une double vie. C'est ça le sujet du livre. A Paris, je le disais, elle faisait des affaires, à la campagne, elle voudrait vivre comme une paysanne d'autrefois, parce qu'elle a cette nostalgie d'un monde qui disparaît. A Paris, elle est une femme d'affaire **redoutable**, prête à tout pour gagner un plus d'argent, à faire faire des économies à son entreprise, enfin tout ce que les gens font pour gagner de l'argent. Et, à la campagne, elle voudrait que rien n'ait jamais changé, que les choses gardent leurs valeurs. Et alors, elle se trouve – c'est pour ça qu'elle se compare à Marie-Antoinette – parce qu'elle est une fausse campagnarde, et elle se trouve prise dans une contradiction qui est propre à notre époque, et ça m'intéressait aussi parce que, dans les clichés, on répète toujours la même chose, mais dans les romans on peut **saisir** des bizarreries propres à une époque, et donc, ce qui m'intéressait, c'était cette situation nouvelle où ce sont les paysans ou les enfants des paysans du village qui, eux, sont...ne rêvent que d'une chose, que leurs villages, au fond, se transforment en banlieue, se modernisent, soient adaptés à la voiture, etc., et c'est la femme de la ville, la femme moderne, qui, elle, veut à tout prix, que le village reste comme il a toujours été, donc les rôles sont **à l'envers**. Le paysan est devenu le propagandiste de la modernisation, et l'urbain est le propagandiste d'un monde disparu. C'est cette contradiction qui les oppose dans le livre, et qui me paraît amusante, du point de vue **romanesque**. [Oui, tout à fait.]

16

– Je suis enseignant moi-même, universitaire. Vous êtes sévère à l'égard de l'Education nationale, quelque part, et des Grandes Ecoles. A la page 95, vous mettez en avant Jean-Bertrand, il «est arrivé ***sans mallette ni dossiers*** *; juste* Le Monde [Le Monde, c'est-à-dire le journal] *sous le bras. Il n'a pas le style* ***ennuyeux*** *des* ***commerciaux*** *vulgaires, des* ***communicants déchaînés****,* [et surtout] *des* ***polytechniciens*** *rigoureux, des* ***énarques au courant de tout****. D'un libéralisme cultivé, il semble* ***pétri*** *de bons films et de bons auteurs » dites-vous.*

beau gosse good-looking kid
un bac scientifique avec mention très bien *a baccalaureat* (high-school diploma) in science and math with the highest honors
premier poste first job
La bonne éducation et la bonne santé bourgeoises éclataient Upper-middle-class good education and good health manifested themselves
les joues encore tendres still soft/tender cheeks
poursuivait went on saying
d'éclairage public outdoor (public) lighting
la réussite et l'échec success and failure
convenable suitable
sort de HEC fresh out of the École des hautes études commerciales, France's elite business school
ont pris complètement le dessus have completely gained the upper hand
décès obituaries
effrayant *here:* disturbing

– Oui, c'est vrai, c'est un homme d'affaires moderne, mais, j'ai rien contre les énarques.

– Non, bien sûr, ce sont des gens tout à fait honorables. Mais je porte mon attention surtout sur ce jeune Mathieu, alors lui, par contre, vous dites que c'est « un vrai ***beau gosse*** *de trente ans auquel on devinait que tout avait réussi :* ***un bac scientifique avec mention très bien****, des études commerciales en Amérique, un* ***premier poste*** *de directeur financier...* ***La bonne éducation et la bonne santé bourgeoises éclataient*** *dans le choix du costume, les chaussures anglaises, la cravate,* ***les joues encore tendres****. Jean-Bertrand s'est tourné vers moi pour les présentations :*

– Voici Mathieu.

– Dans ce genre de famille, pas de Kevin ni de Madisson, Jean-Bertrand ***poursuivait*** *:*

– Mathieu manage une entreprise ***d'éclairage public****... »*

Alors, quelle est votre appréciation de ce qu'on appelle ***la réussite et l'échec*** *en France ?*

– Ce sont des questions complexes, mais là, si vous voulez, oui effectivement, j'ai voulu décrire la figure de la réussite, de la réussite en France, le jeune homme qui sort des grandes écoles de commerce, qui est très **convenable**, mais finalement c'est ça que je voulais dire, effectivement, il s'appelle pas Kevin, au fond c'est toujours la bourgeoisie qui reste, malgré les changements apparents de la société, maîtresse du capital et des carrières, et c'est vrai qu'en France aujourd'hui, plus peut-être que dans l'ancienne France, on a vraiment deux mondes parallèles, c'est-à-dire que on a le monde de ce jeune Mathieu qui **sort de HEC** et qui accède tout de suite aux grandes affaires, et puis on le monde de ce qu'on appelait autrefois le prolétariat, où effectivement les prénoms américains **ont pris complètement le dessus** sur les prénoms français. Je m'étais amusé une fois à faire une comparaison dans une petite ville de France, près de laquelle je me suis trouvé à travailler, à Fécamp en Normandie, dans le journal local, entre les prénoms des **décès** et les prénoms des nouveaux-nés. Tous les nouveau-nés s'appelaient Kevin, Kimberly, Jessica, Jennifer, etc. c'était **effrayant**,

à mon goût *here:* as far as I'm concerned
donner des leçons to lecture, to preach
gaulliste a member of the nationalistic party formed by Charles de Gaulle. Today, Gaullists are positioned on the center-right of the political spectrum.
osait dared
déresponsabiliser make unaccountable
se moquent make fun of, mock

et tous les vieux s'appelaient Marcel, Rosalie, Françoise, etc., et là **y a** une espèce de, disons de, là encore, c'est comme je parlais d'Amérique imaginaire, d'américanisation mais par la sous-culture de l'Amérique qui est un peu triste, **à mon goût**.

17 *– On dit que la France donne beaucoup de leçons, aux Américains, aux Russes. Ce capitalisme TGV, ce capitalisme à très grande vitesse, ça vous inquiète beaucoup, quand même ?*

– Oui, la France est très forte pour **donner des leçons**, mais finalement, ce que je n'aime pas beaucoup dans mon pays, c'est qu'il donne des leçons tout en faisant finalement exactement la même chose que tout le monde. Moi, au fond, je suis assez **gaulliste**, je veux dire, je pense que la position de de Gaulle était plus intéressante, parce que c'était pas tellement l'art de donner des leçons, mais quelqu'un qui **osait** aller complètement à contre courrant et imposer un point vue alors même qu'il était...il ne représentait pas une force énorme, et qui arrivait à l'imposer. Aujourd'hui on a plutôt l'impression que nos hommes politiques souvent tiennent des discours, effectivement, pas seulement sur la grandeur de la France, mais sur nos valeurs, sur notre modèle, sur notre exception, etc., mais qui finalement dans la pratique, ils sont prêts à tout sacrifier. Et l'Union européenne, pour laquelle j'ai été très fervent au départ, mais telle qu'elle se construit réellement est aussi un moyen finalement de tout liquider et de **déresponsabiliser** les hommes politiques français. Enfin, moi, c'est mon point de vue, tel que les choses évoluent aujourd'hui, et je pense que c'est un peu facile d'aller critiquer dans les discours politiques l'américanisation, etc. et en même temps de tout faire pour que le phénomène s'accélère. C'est par exemple....pour donner un exemple, puisque les Français par exemple **se moquent** souvent de McDonald's, Disney, etc., ces modèles de la sous-culture moderne, c'est les Français qui ont volontairement payé pour faire venir Eurodisney en France, c'est pas les Américains qui leur ont imposé. Y a une aspiration, comme ça vers l'Amérique, et aujourd'hui on dit qu'il faut protéger la langue française, mais en même temps l'anglais

fierté pride
à mon avis in my opinion
pas acharné not a chain smoker
tabagisme smoking
d'autres rivages distant shores
désormais from now on
passer spend
qui m'a beaucoup marqué that really affected/left its mark on me
héritier heir
cette gamine that child
L'air tremblait légèrement *in effect:* There was a slight breeze
versants slopes
flou fuzziness
remise shed

s'installer partout, dans les administrations, dans les entreprises, sans non plus réagir, donc il y a une espèce d'abandon des responsabilités qu'on essaie de remplacer par des discours de **fierté** qui n'ont aucun sens, **à mon avis**.

18 *– Ca fait longtemps qu'on ne fume plus dans les trains. Vous êtes fumeur, s'il faut en croire les photos sur internet. [ah oui, un peu, oui,* ***pas acharné****]. Le* ***tabagisme*** *est quasiment exclus en France, interdit, comme en Amérique, n'est-ce pas ? Allez-vous chercher la liberté sur* ***d'autres rivages****, éventuellement ?*

– Je me suis dit que j'allais **désormais** voyager en Allemagne, puisque la compagnie des chemins de fer allemands s'est engagée à laisser 20 pourcent de places fumeurs dans ses trains [ah, bon ?] oui, oui, oui, c'est le seul pays...bizarrement, je pensais que les pays latins, avec leur côté peu discipliné, etc., seraient les plus résistants, et fait l'Italie, puis l'Espagne, puis la France ont été les premiers à appliquer vraiment ce modèle anti-tabac d'une façon très rigoureuse. Et les Allemands, au contraire, sont en fait dans cette affaire-là, les derniers résistants. Alors, voilà je vais désormais voyager en Allemagne. Le problème c'est que je sais pas si j'ai vraiment envie d'aller voyager en Allemagne, parce que c'est un pays passionnant et très riche, mais est-ce que c'est le plus beau pays d'Europe, je suis pas sûr, mais...bon, on va tous être obligés d'aller **passer** nos vacances là-bas...pour pouvoir fumer dans les trains.

19 *– Mais vous pouvez toujours vous réfugier dans l'art, et dans l'art littéraire en particulier. C'est pour ça, j'attire l'attention de nos lecteurs, surtout à une page* ***qui m'a beaucoup marqué****, la page 165, parce que vous êtes un petit peu l'****héritier****, j'ose dire, de Marcel Proust...de Combray, parce que c'est une page extrêmement lyrique, là où vraiment on ressent la fonction de la mémoire...et de l'enfance disparue : « J'étais* ***cette gamine*** *assise au milieu des hommes.* ***L'air tremblait légèrement****. Sur la droite, en direction de l'ouest, les* ***versants*** *couverts de sapins se répondaient en lignes obliques, jusqu'au* ***flou*** *de l'horizon. J'écoutais la fontaine couler dans la* ***remise****, à l'entrée de l'étable. Le temps semblait suspendu sur la montagne parfumée de fleurs et de foins*

sans se lasser tirelessly
vers worms
resurgissent come back
raniment rekindle
éraillées hoarse
gueules cassées beat-up/scarred faces
aux allures de contes that sounded like tales
traînant *here:* shuffling
sabots wooden shoes/clogs
nains dwarfs
se refont reinvent for themselves
imbrication intermingling, interleaving
y avait *=il y avait*
qui va me valoir that will bring me a lot

fraîchement coupés. Les poules heureuses accomplissaient ***sans se lasser*** *le tour de la maison, à la recherche de* ***vers*** *de terre. Et chaque fois qu'elles* ***resurgissent****, ces images* ***raniment*** *en moi l'idée première du bonheur, différente de tout ce que j'ai appris ensuite, mais indestructible au fond de ma conscience. Dans cet enchantement, les paysages s'étendent à l'infini, les grandes personnes ont des voix* ***éraillées****, des* ***gueules cassées****, des personnalités imposantes pour évoquer lentement des sujets qui les concernent. Ce sont des souvenirs* ***aux allures de contes****, rythmés par le bruit* ***traînant*** *des* ***sabots****, dans un décor de terre et de bois où les animaux vivent près des hommes, les vaches dans leur étable, les lapins dans leur clapier, tout près de la grande forêt où se cachent des* ***nains*** *et des elfes. »*

– Oui, merci de lire ce passage, c'est pour moi un passage important du livre, effectivement, et ça, c'est en même temps pour moi….c'est tragique de penser que ce monde-là a disparu, si vous voulez. Parce que c'est vraiment…c'est la magie de l'enfance. Alors, peut-être que les enfants de toutes les époques **se refont** leur propre magie avec ce qu'ils ont sous la main. Mais cette magie-là, celle de…cette **imbrication** de la terre, de la montagne, des gens, des animaux, etc., ce monde vraiment venu du fond des âges, comme ça, c'est une chose qui disparaît, qui a disparu à beaucoup d'endroits complètement, et ça j'ai du mal à supporter cette idée finalement. [Oui, ça se sent.]

20

– Dans votre livre, vous revenez de Hydra et de Chine, mais dans la vie réelle vous revenez d'Italie et vous partez bientôt aux USA [oui], voulez-vous nous en dire quelques mots ?

– Eh, bien, là, j'étais en Italie, en fait pour la sortie d'un de mes romans, du roman que j'ai publié juste avant celui-ci, qui s'appelait *La petite fille et la cigarette,* vous voyez, **y avait** déjà le tabac, mais il se trouve que c'est un roman qui a eu beaucoup de succès auprès des éditeurs étrangers, qui a déjà été acheté par douze ou treize pays différents, et **qui va me valoir**…alors là j'étais pour la sortie en Italie, y a quelques jours, et je pars début avril aux Etats-Unis, parce que c'est mon premier roman traduit aux Etats-Unis, ce dont je

éditeurs publishers
forcément *here:* obviously
légère anticipation *literally:* light anticipation, i.e., having no dramatic or surprise ending
reprochent criticize
effrayant frightening
kafkaien Kafkaesque, a reference to the twentieth-century German-speaking Jewish novelist whose works depict characters who feel isolated and threatened

suis très content, parce que c'est un pays auquel je suis attaché, et puis, en plus, la langue anglaise aujourd'hui évidemment joue un rôle central, je dirais même par l'influence que ça peut avoir auprès des **éditeurs** de tous les autres pays, le fait d'être traduit aux Etats-Unis, parce qu'on sait que les Etats-Unis, comme l'Angleterre d'ailleurs, sont des pays relativement fermés, non pas par les lois, mais, disons, parfois un certain manque de curiosité de beaucoup d'éditeurs à la production non-anglo-saxone. C'est pourquoi que les écrivains français espèrent toujours se faire traduire aux Etats-Unis. Ils n'y arrivent pas **forcément** très facilement.

21 – *Quel en sera le titre ?*

– Je suis très très content que ça sorte là-bas, ça vient de sortir, ça s'appelle *The Little Girl and the Cigarette,* c'est vraiment la traduction littérale du titre français. Et je crois que ce livre a plu beaucoup aux éditeurs étrangers parce que, dans ce livre, qui est un roman de **légère anticipation**, j'ai voulu décrire un monde dont on ne sait vraiment pas du tout, au fond, du début à la fin du roman, si ça se passe en Europe ou aux Etats-Unis. J'ai mélangé un peu les décors des deux pays, et j'ai créé un monde, une espèce d'occident général et vague à la fois, qui est celui d'un côté ou de l'autre de l'Atlantique, comme ça, donc ce livre n'a pas du tout ce côté, disons, franco-français que souvent les éditeurs étrangers, et peut-être les lecteurs **reprochent** un peu à la littérature française.

22 – *Un scoop peut-être sur votre prochain livre ? C'est sur quoi ?*

– Ben, c'est un peu dans la même ligne que *La petite fille et la cigarette.* Moi, j'aime bien cette idée de l'anticipation légère, comme ça, j'aime bien montrer un monde qui ressemble au nôtre, mais qui est juste un tout petit peu plus **effrayant**, un tout petit peu plus caricatural, parce que, ce qui m'intéresse c'est de montrer que la différence entre la réalité dans laquelle on vit et un monde complètement fou, elle est pas très grande. Il suffit de pousser un petit peu les choses, et on arrive dans un monde chaotique, **kafkaien**, etc. Je joue un peu sur cette limite-là aussi dans mon

accordé granted
témoignages stories
dédicacer to sign

prochain livre dont je ne peux pas encore dire le titre pour la simple raison qu'il n'est pas encore définitif, je ne suis pas sûr de moi.

23

– Benoît Duteurtre, merci de nous avoir ***accordé*** *ces moments précieux. Peut-être un petit message final à l'attention de nos... de* vos *nouveaux lecteurs.*

– Et bien écoutez, je suis surtout très heureux et je vous remercie de pouvoir presque simultanément, disons, entrer aux Etats-Unis à la fois par une version anglaise d'un roman et une version française d'un autre, grâce à ce beau projet d'édition, ça me fait grand plaisir, et j'espère que j'en aurai quelques retours, peut-être, par internet, ou par des articles, ou des **témoignages**.

– Merci encore, puis-je vous demander de ***dédicacer*** *votre livre,* Chemins de fer ?

Chers amis, bonne lecture, au revoir et à tout bientôt.